COLLECTION FICTIONS

Marie Carduner, Fille du Roy de Nicole Macé
est le quatre-vingt-dix-huitième titre
de cette collection
dirigée par Raymond Paul.

L'Hexagone bénéficie du soutien du ministère du Patrimoine du Canada et de la Société de développement des entreprises culturelles du Québec pour son programme d'édition.

Nous remercions le Conseil des Arts du Canada de l'aide accordée à notre programme de publication.

Marie Carduner, Fille du Roy

DU MÊME AUTEUR

Ariadne, min søster, poèmes, Oslo, Aschehoug, 1981.
Minotaurus er død, théâtre, Oslo, Aschehoug, 1982.
Gjennom ord og byer, poèmes, Oslo, Aschehoug, 1983.
Ikke bry deg om krigen, roman, Oslo, Aschehoug, 1987.
Nattmusikk for annen fiolin, roman, Oslo, Aschehoug, 1991.
Høyt over Månefjellet, roman jeunesse, Oslo, Aschehoug, 1992.

NICOLE MACÉ

Marie Carduner,
Fille du Roy

Roman

Traduit du norvégien par l'auteur

l'HEXAGONE

Éditions de l'HEXAGONE
Une division du groupe Ville-Marie Littérature
1010, rue de La Gauchetière Est
Montréal, Québec H2L 2N5
Tél.: (514) 523-1182
Téléc: (514) 282-7530
Courrier électronique: vml@sogides.com

Maquette de la couverture: Luc Germain

En couverture: *Shipping Airing Their Sails in a Calm* (détail),
Charles Brooking, National Maritime Museum, Greenwich.

Données de catalogage avant publication (Canada)

Macé, Nicole 1931-
Marie Carduner, Fille du Roy
(Collection Fictions)
Traduction de: Kongens døtre.
ISBN 2-89006-589-8

I. Titre.

PQ2673.A245K6614 1997   843'.914   C97-941170-X

DISTRIBUTEURS EXCLUSIFS:
• Pour le Québec, le Canada et les États-Unis:
LES MESSAGERIES ADP*
955, rue Amherst, Montréal, Québec H2L 3K4
Tél.: (514) 523-1182
Téléc.: (514) 939-0406
*Filiale de Sogides ltée

• Pour la Belgique et le Luxembourg:
PRESSES DE BELGIQUE S.A.
Boulevard de l'Europe, 117, B-1301 Wavre
Tél.: (010) 42-03-20
Téléc.: (010) 41-20-24

• Pour la Suisse:
TRANSAT S.A.
Route des Jeunes, 4 Ter, C.P. 125, 1211 Genève 26
Tél.: (41-22) 342-77-40
Téléc.: (41-22) 343-46-46

• Pour la France:
D.E.Q.
30, rue Gay Lussac, 75005 Paris
Tél.: 01 43 54 49 02
Télec.: 01 43 54 39 15
Courrier électronique: liquebec@imaginet.fr

Édition originale: © *Kongens døtre*, Oslo, H. Aschehoug & Co, 1993.

Dépôt légal: 4e trimestre 1997
Bibliothèque nationale du Québec
Bibliothèque nationale du Canada

Je remercie M. Gilles Gingras,
chargé d'affaires à l'ambassade du Canada à Oslo;
M. P. Le Petout, conservateur du Musée municipal
de Saint-Malo, et le père Albert Raulin o.p.,
de leur aide et de leurs conseils.

Pour Sylvie

Le baroque est rouge et or, blanc et noir.
Le baroque est pesant chagrin et joie débridée.

Torill Thorstad Hauger
La Maison de Dorothea

CHAPITRE PREMIER

L'imprimerie

«En ce saint jour de Pâques du 5 avril 1665, à Saint-Malo, ma ville natale, j'écris, moi, Marie Carduner, orpheline âgée de quinze ans, les premières lignes du journal qui, sur l'ordonnance de Louis XIV, notre Roy bien-aimé, doit me suivre par-delà l'océan jusqu'en Nouvelle France.»

Il ne restait plus, à la vitre de la chambrette sous les combles, qu'un pâle reflet du soir de printemps, à peine suffisant pour distinguer les lettres qu'elle venait de tracer. «Tu vas t'abîmer les yeux, arrête de lire ou bien allume la lampe à huile», disait souvent sa mère autrefois, lorsqu'elle la trouvait assise par terre, en train d'apprendre à lire sur une épreuve d'imprimerie.

Chez maître Pontorson, le notaire, il n'y avait pas de lampes à huile malodorantes et familières, rien que des bougies de cire fine dans les salons et, chez les domestiques, des chandelles de suif qui fondaient trop vite. Le lumignon de Marie était trop court pour durer plus d'un quart d'heure, soit bien trop peu de temps pour tout ce qu'elle avait à raconter. Car il ne suffisait pas de laisser la pensée couler comme une eau jusqu'à la pointe de la plume, il fallait aussi trouver à tout instant le mot juste et l'écrire selon les règles de l'Académie, comme le lui avait appris son père.

Père...

La gorge de Marie se nouait chaque fois qu'elle pensait à son père, car il était mort sans les sacrements, brûlé vif comme un hérétique, que Dieu ait pitié de son âme!

Le visage de sa mère était depuis longtemps effacé de sa mémoire, car elle avait quitté ce monde avant que Marie n'atteignît l'âge de sept ans. L'image de son père, en revanche, était toujours si présente à ses yeux qu'ils brûlaient de larmes encore à verser.

Il n'était pas grand, mais toutefois de belle prestance, surtout le dimanche à l'église, quand, revêtu des insignes de son grade, il prenait place dans le chœur auprès des autres maîtres artisans. Et lorsqu'il rentrait à la maison après la messe, suivi de sa sœur et de ses filles, les bourgeois qui le rencontraient saluaient fort bas maître Pierre-Étienne, et bien des filles à marier coulaient vers lui un regard plein d'espoir. Car tout Saint-Malo savait que sa femme avait été rappelée au ciel avant d'avoir pu lui donner un fils. Alors, Catherine et Marie échangeaient un sourire tandis que leur père grommelait «Dieu vous garde» en pressant le pas.

Plus tard, à table, lorsque tante Marguerite se prenait à vanter les mérites de telle ou telle fille, il paraissait confus et se hâtait de parler à son contremaître des commandes de la semaine à l'imprimerie.

C'est là, entre la presse et le marbre, avec son tablier de cuir et ses lunettes rondes sur le nez, qu'il était le plus vraiment lui-même. Impossible de penser à lui sans du même coup revoir l'imprimerie et retrouver l'odeur d'encre et de plomb fondu qui régnait dans tout l'atelier et s'infiltrait entre les planches du plafond jusqu'aux chambres du premier étage.

Tout le monde appelait la maison «l'Imprimerie», bien qu'elle abritât aussi l'échoppe d'un mouleur de chandelles. Au-dessus de la porte se balançait une enseigne aux lettres dorées: *Pierre-Étienne Carduner, Maître imprimeur et Libraire par Privilège Royal.*

Il n'y avait qu'une entrée sur la rue des Cordiers. Pour monter à l'appartement comme pour entrer à l'atelier, il fallait passer par la boutique, devant l'étal où la perruque du père trônait sur une marotte à côté de son chef-d'œuvre en petit romain, les *Essais* de Montaigne, qui lui avait valu la maîtrise.

Dans l'atelier, tout de suite après la porte, se dressait la grande presse que commandait un volant en forme de croix, si lourd que les jeunes apprentis devaient se mettre à deux pour le faire tourner. Au milieu de la pièce brillait la masse blanche des feuilles de papier rangées en tas réguliers, où plongeaient les mains des aides vêtus de blanc qui alimentaient la presse. Au fond, près de la porte de la cour, se dressait la haute table au dessus de marbre où le contremaître et les ouvriers rangeaient les caractères dans les châssis de métal.

L'atelier d'imprimerie couvrait les trois quarts du rez-de-chaussée et une partie de la cour, où le chaudron de pierre dans lequel on faisait fondre le plomb était rangé sous un auvent d'ardoises.

Même s'il ne poussait ni herbe ni buisson sur la terre battue, cette cour était un monde passionnant pour les enfants et les chats. Ils pouvaient y jouer ou chasser les souris entre le poulailler et l'abri aux cochons du relieur, maître Barré. Parfois, les enfants s'asseyaient pour regarder les soldats chargés du guet au sommet des remparts, ou seulement pour observer les mouettes qui planaient en criant au-dessus d'eux.

La maison des Barré, au fond de la cour, était basse, en colombage, et s'ouvrait sur la ruelle au pied des remparts. Dans l'atelier de reliure, l'odeur du cuir et de la colle se mêlait à celle de la soupe aux choux, car la mère Barré tenait auberge et recevait artisans et soldats dans la salle donnant sur la rue.

Les fils Barré avaient été les compagnons du frère aîné de Marie, Nicolas, qui était mort du croup quand elle avait deux ans. Leur mère l'avait laissé jouer dans la cour et descendre à l'atelier aux heures de travail autant qu'il le voulait, parce qu'il était le fils et le successeur du maître. Catherine et Marie, par contre, n'en avaient pas souvent le droit.

Leur mère était fille de gentilhomme. Ayant grandi dans un manoir, elle trouvait qu'un rez-de-chaussée où s'affairaient des hommes en sueur n'était pas la place de jeunes filles de leur condition. D'avoir à souffrir la présence des cinq apprentis et des deux compagnons à sa table et sous son toit lui pesait déjà assez. Aussi ne mettait-elle jamais les pieds à l'atelier, détestant les règles de la confrérie qui obligeaient le maître à partager ses repas avec ses ouvriers, comme s'ils ne formaient qu'une grande famille.

C'était sans doute parce que, ne sachant pas lire, elle se sentait humiliée d'entendre de simples artisans parler en sa présence de caractères qu'elle ne distinguait pas l'un de l'autre, comme majuscule ou point-virgule, se disait Marie qui éprouvait une tendresse honteuse pour sa mère. Que grâce lui soit rendue d'avoir laissé ses filles apprendre à lire et à écrire, en dépit du gentilhomme, son père, et du chapelain qui professaient que pareille science nuit au sexe faible plus qu'elle ne lui convient.

Bien qu'ignorante, la mère aimait les livres plus que tout au monde. Elle aimait les feuilleter pour regarder les images et les lettres ornées, mais, elle aimait plus encore se les faire lire à haute voix. Chez son père, au manoir, c'était le chapelain qui lisait les Actes des apôtres ou l'Apocalypse de saint Jean à toute la famille. Plus tard, après qu'elle fut mariée et établie à Saint-Malo, elle faisait venir tous les jours à domicile un capucin qui lui lisait la *Vie des Saints*.

Pauvre mère, qui, d'aussi loin que s'en souvienne Marie, avait été enceinte ou occupée à donner le sein à un nourrisson qui allait mourir avant la fin de l'année. Été comme hiver, elle passait ses journées assise à la fenêtre à regarder la croisée des rues et à convoiter le monde des mots auquel elle n'avait pas accès. Son appétit de livres était insatiable, si bien que, le capucin à peine sorti, son mari, Catherine ou Marie devaient poursuivre la lecture. Peu à peu, les ouvrages pieux avaient fait place à des livres plus mondains, comme les tragédies de Pierre Corneille ou la plaisante *Histoire comique des États et Empires de la Lune*, de Cyrano de Bergerac.

Ce livre était le premier que le père avait publié et mis en vente aussitôt que le Roy lui eut accordé le privilège d'imprimer à Saint-Malo, et il en était fort fier. Chaque année, lorsque toute la maison se réunissait à l'atelier pour fêter saint Vincent, patron à la fois de la ville et de l'imprimerie, il le laissait passer de main en main pour que chacun en pût lire un passage à haute voix.

C'était aussi ce livre qu'ils lisaient la nuit où la mère mourut.

Dans l'après-midi, elle avait enfin donné le jour à un garçon, à la plus grande joie de tous. Le nourrisson ondoyé, le père avait donné congé aux serviteurs en les priant d'assister aux vêpres en la cathédrale, pour remercier Dieu et sainte Anne de lui avoir accordé un successeur.

La mère était en train d'allaiter lorsque leur père fit entrer Catherine et Marie dans sa chambre. Elle était pâle et semblait sommeiller, mais elle leur sourit en leur demandant, d'une voix lasse, de lui tenir compagnie un moment. La sage-femme prit le nouveau-né assoupi, puis elle posa la main sur le front de l'accouchée et déclara «pas de fièvre» d'un air satisfait. Alors, ils s'assirent tous les trois autour du haut lit, et le père se mit à lire.

Bien vite, la mère s'endormit. Comme elle avait l'édredon rouge tiré jusqu'au menton et qu'elle souriait dans son sommeil, ils ne s'aperçurent de rien avant qu'il ne fût trop tard: elle s'était doucement vidée de tout son sang dans les épais matelas.

On envoya l'enfant, Henri, chez une nourrice à la campagne, mais il ne survécut pas plus d'une semaine.

Après leur mort, l'*Histoire comique des États et Empires de la Lune* ne sortit plus jamais de l'armoire, et la vie devint d'un coup plus austère.

La sœur du père, tante Marguerite, vint s'occuper de la famille. Vingt ans passés au service d'un couvent d'ursulines l'avait rendue sévère et peu bavarde. Elle souriait rarement, n'élevait jamais la voix et abhorrait l'oisiveté. Au lieu de laisser ses nièces s'amuser au salon à broder ou à coudre, elle les fit descendre à l'atelier prêter main-forte aux apprentis ou remplacer les aides qui mettaient le papier dans la presse.

Catherine rechignait à ces nouvelles tâches, mais Marie s'y complaisait fort. Elle aimait voir son père s'affairer à polir une lettre avec la fine poudre d'émeri ou mettre une plaque de cuivre en place dans la petite presse à estampes. Il répondait toujours avec précision et patience à ses questions et l'encourageait à s'essayer à la composition lorsque les ouvriers avaient terminé leur ouvrage. Et tandis qu'elle choisissait les caractères et les plaçait avec soin dans le châssis, elle sentait parfois le regard de son père se poser sur elle, tendre et infiniment triste. Alors, elle regrettait que Dieu n'eût pas fait d'elle un garçon et se laissait envahir par un chagrin amer dont elle avait honte et pour lequel elle

devait demander pardon à Dieu en confession le lendemain.

Son père savait-il qu'elle devinait sa souffrance de
ne pas avoir de fils qui pût lui succéder à l'imprimerie?
Sans doute pas. Devant ses filles, il s'obligeait à paraître
satisfait que l'une d'elles un jour épousât un habile
maître imprimeur qui deviendrait ainsi son fils et successeur.

Marie espérait que ce serait elle, mais l'ouvrier préféra Catherine.

Il s'appelait Bernard Galinet et venait de Valence.
Saint-Malo était la dernière étape de son tour de
France, et il avait déjà mis en train son chef-d'œuvre,
l'*Introduction à la vie dévote*, de François de Sales, en
caractères gothiques. Il avait de belles dents blanches
et des yeux marron, et il chantait, en s'accompagnant à
la mandoline, des madrigaux italiens d'une voix si
douce que tante Marguerite ne pouvait s'empêcher de
quitter sa cuisine pour venir l'écouter.

Catherine était, du coup, toujours prête à placer le
papier dans la presse ou à laver les caractères dans le
bain d'alcool. Marie pouvait voir comment, à tout instant, elle essayait d'attirer le regard de Bernard, et avec
quelle grâce elle rougissait lorsqu'elle y était parvenue.

Auprès de sa sœur, son aînée de trois ans, Marie
n'avait pas grande chance: Catherine, avec sa gorge ronde
et sa peau blanche et rose, ses cheveux châtains annelés et
ses yeux couleur de miel, était par surcroît habile à garder
ses petites mains intactes de crevasses et de taches d'encre, comme celles d'une fille de gentilhomme.

Bernard et Catherine se fiancèrent à l'Annoncia-
tion, l'année 1663, pour se marier aussitôt qu'il aurait
terminé son chef-d'œuvre.

Vingt ans dans un couvent avaient rendu tante
Marguerite très pointilleuse sur la bienséance: elle exigea

de séparer les fiancés et envoya Catherine chez sa marraine, la baronne de Saint-Modez, dans le diocèse de Tréguier.

Marraine Angélique était la cousine fortunée de leur mère. Mariée à un baron, elle vivait dans un petit château du temps de la guerre de Cent Ans, perché comme un nid d'aigle sur une colline au bord du Trieux.

Au château de Jagu, les hautes salles étaient parcourues de courants d'air froid malgré les tapisseries qui couvraient tous les murs, et les moustiques qui proliféraient dans les douves pénétraient par essaims dans les chambres dès qu'on ouvrait une fenêtre. Le luxe qui régnait dans la noble demeure ne laissa pas néanmoins d'éblouir Catherine, qui envoya à Saint-Malo des lettres enthousiastes: au château, le feu était allumé dans les cheminées, les planchers balayés et les repas servis sans qu'on eût à lever le petit doigt. Tout le travail était accompli par des mains invisibles, car les serviteurs, qui vivaient dans les sous-sols, ne se montraient que le dimanche, à la chapelle où ils venaient chanter louange à Dieu.

Bien qu'elles ne fussent point astreintes à servir ni à filer, marraine Angélique et ses trois filles se plaignaient sans cesse d'avoir trop à faire, car une foule d'occupations diverses, d'heure en heure, emplissaient leurs journées. Après la messe matinale à la chapelle, Anne, Madeleine et Sylvie suivaient l'enseignement du père René, leur maître de latin, de grammaire et de musique. Après le dîner, lorsque le temps le permettait, elles se promenaient à cheval le long de la rivière ou bien s'asseyaient au salon avec leur broderie pour suivre quelque lecture à haute voix. Le soir, elles s'occupaient de nouveau de musique ou apprenaient à Catherine à jouer de la mandoline ou à faire de la dentelle, tandis que le baron de Saint-Modez s'entretenait avec son chapelain ou parlait à ses fermiers.

Que cette vie était différente de celle que connaissaient Catherine et Marie! À Saint-Malo, l'imprimerie dominait leurs journées, car on pouvait à tout moment les appeler à l'atelier pour les charger d'un travail pressant. Elles devaient aussi, bien sûr, prendre part aux tâches saisonnières auxquelles les bras des servantes ne suffisaient pas, comme la lessive de printemps ou la confection des conserves d'automne, et se mettre à leur rouet dès qu'elles avaient le temps de s'asseoir.

Au manoir de leur grand-père, on astreignait aussi les femmes à filer, tout épouse et filles de gentilhomme qu'elles fussent, car le maître de maison voulait vivre à l'ancienne, comme au bon vieux temps de la duchesse Anne, quand la Bretagne était encore une nation souveraine.

Angélique de Saint-Modez et son mari le baron appartenaient à cette nouvelle classe de nobles bretons qui allaient se montrer à la cour au moins une fois par an, et qui se faisaient livrer vêtements, confiseries et feuilles de musique des meilleurs faiseurs de Paris.

Au château de Jagu, on lisait même des livres que l'évêque de Saint-Malo avait interdit à ses ouailles, comme *L'École des femmes* de Molière. Marraine Angélique, qui avait vu la pièce au théâtre l'hiver précédent, racontait avec force hochements de tête le méchant scandale qu'elle avait causé dans le camp des Dévots. Elle avait, pour sa part, peu de tendresse pour ces grincheux vêtus de noir dont la piété n'était sans doute que faux-semblant, et prenait, en toute occasion et avec flamme, la défense de l'auteur et de son théâtre.

Les Saint-Modez n'en étaient pas moins de fort bons chrétiens respectueux des jours de jeûne et assidus à l'étude de *L'Imitation de Jésus-Christ,* dont le chapelain leur faisait lecture pendant deux heures tous les soirs.

Vers la fin de l'été, Catherine fut renvoyée chez elle avec une lettre lui enjoignant de revenir avec des livres et sa petite sœur.

Cette invitation rendit Marie folle de joie. L'idée de voir le château, dont Catherine parlait avec tant d'enthousiasme, privait de tout éclat son projet de composer et d'imprimer sur papier fin «Le Sermon sur la Montagne». Le désir de passer l'épreuve d'ouvrier imprimeur avec les autres apprentis lui apparaissait soudain comme un rêve d'enfant qu'elle était devenue trop mûre pour vouloir assouvir. Elle allait aussi, en s'éloignant, manquer l'annuelle refonte du plomb, mais elle n'en avait cure. Il lui fallait suivre sa sœur au château de Jagu.

Leur père et tante Marguerite les accompagnèrent vers l'ouest dans une voiture de louage. Le voyage de vingt lieues dura deux jours et, pour la première fois de sa vie, Marie passa la nuit dans une auberge de roulage, à Saint-Brieuc. Cela sentait le cheval jusque dans le dortoir des femmes, où elle partageait un lit avec Catherine et tante Marguerite. Les grossières couvertures de chanvre et de feutre lui écorchaient les bras et le menton, mais elle était si transportée par toutes les nouveautés qui l'attendaient, qu'oubliant l'inconfort, elle dormit comme une souche.

Au château de Jagu, les Saint-Modez les attendaient avec du vin bouché et un dîner de vingt mets, car leur fils aîné, Simon, venait de rentrer de Nantes où il avait une charge d'officier dans la Marine royale. C'était un grand jeune homme à peu près du même âge que Catherine, rose et rond de visage comme une fille, et qui riait à qui mieux mieux avec ses sœurs.

Ce qu'elle avait sous les yeux en imposait tant à Marie qu'elle en oubliait presque de manger. Aux deux bouts de la table, qui était recouverte d'une nappe de damas blanc comme sur une gravure hollandaise, le baron et la baronne trônaient en habits de soie, la

figure poudrée comme s'ils étaient en visite au Louvre;
leurs cinq autres enfants étaient, eux aussi, vêtus de
velours en l'honneur de l'héritier du titre.

Le repas dura quatre heures. Il y avait, sur la nappe
blanche, des coupes de cristal pleines de pommes, de
noix et de feuilles de salade dont chacun se servait
librement entre les plats. Et, pour dessert, on offrit du
massepain et des gaufrettes avec un breuvage amer et
noir que les hôtes appelaient «café». Le père et tante
Marguerite étaient stupéfiés par tant de faste.

Sur la requête du baron de Saint-Modez, l'imprimeur avait apporté un plein coffre de livres, anciens et
neufs, de son imprimerie, et le moment était venu de
les faire passer de main en main pour qu'on les admi-
rât. Il s'y trouvait entre autres les tragédies de Corneille, la *Vie des hommes illustres* de Plutarque dans une
nouvelle traduction, *Histoire comique des États et Empires
de la Lune* et même les *Essais* de Montaigne qui, jusqu'à
présent, n'avaient jamais quitté leur place sur l'étal de
la boutique.

Le baron recevant les livres avec force remercie-
ments, mais sans faire mine de vouloir en payer le prix,
Marie comprit que tous ces beaux fruits du travail de
son père étaient un tribut de celui-ci au gentilhomme
qui avait entrepris d'inculquer les bonnes manières à
ses filles. Dieu avait créé le Tiers État pour servir les
deux premiers, et c'était le simple devoir d'un artisan
chrétien que d'accomplir la divine volonté, expliqua
tante Marguerite le soir même, alors que Marie se plaignait d'avoir ainsi perdu Montaigne et Cyrano.

Leurs hôtes se chargèrent du moins de ramener
chez eux le père et tante Marguerite: ils les firent
reconduire dans le carrosse du baron jusqu'à l'imprimerie, et c'est avec fierté que Marie se représentait son
père devant la cathédrale à Saint-Malo, descendant de
la voiture armoriée.

À l'instant où les chevaux se mirent en mouvement, le père se pencha par la portière avec un sourire satisfait. Ce fut la dernière image que Marie retint de lui.

Octobre succédait à septembre, le feuillage devenait rouge et jaune sur les pentes boisées de la verte rivière, et Marie se trouvait de plus en plus heureuse au château. On lui avait confié la tâche de lire Plutarque à haute voix chaque après-midi et d'apprendre l'alphabet aux deux benjamins. Les jumeaux Ronan et Gaël, qui n'avaient que cinq ans, se sentaient plus de goût pour le jeu que pour l'étude, aussi avait-elle peint les lettres sur des cubes de bois avec lesquels ils construisaient des maisons. Elle se trouvait avec eux lorsque Simon vint la prévenir. Le messager était encore dans la cour en train de faire boire son cheval, mais il ne parvint pas non plus à lui faire comprendre l'inconcevable: l'imprimerie avait brûlé, et son père était mort.

Marie ne se rappela pas grand-chose du retour à Saint-Malo, sinon que marraine Angélique les accompagnait dans le carrosse.

Et soudain elle se retrouva, désorientée, mais sans larmes, sur la place du marché, à regarder l'espace encore noir où s'étaient dressées l'imprimerie et les maisons adjacentes. Le mur du rempart, jusqu'alors invisible, s'élevait, proche et menaçant, au-dessus de la cour souillée de suie.

Le feu avait commencé dans l'échoppe du mouleur de chandelles et s'était rapidement étendu aux piles de papier de l'imprimerie. Bientôt, l'escalier était devenu une cheminée gloutonne de flammes, si bien que tous ceux qui dormaient aux étages avaient dû s'échapper par les fenêtres donnant sur la cour. Tante Marguerite, le père, les deux ouvriers Bernard et Jean, les cinq apprentis et les trois servantes avaient ainsi pu se sauver en vêtements de nuit, et se réfugier chez les Barré, pour se joindre à ceux qui essayaient d'éteindre l'incendie.

Un instant, on avait cru qu'il serait possible de sauver le derrière de la maison où se trouvait l'atelier de composition. Alors, le père s'était mis en tête d'aller chercher la casse où se trouvaient les caractères petit romain qui étaient sa fierté d'artisan et la marque même de l'imprimerie. Il s'était élancé et avait disparu dans la fumée. Mais, tout à coup, on avait entendu une violente explosion et vu les flammes jaillir de nouveau. Des poutres enflammées s'écroulant du premier étage barrèrent la porte, tandis qu'une pluie d'étincelles tombait sur tante Marguerite et les deux apprentis qui tentaient de lui venir en aide.

Ce fut là ce que leur rapporta Jean, le deuxième compagnon, tandis qu'elles étaient encore sur la place, devant le carrosse, à regarder les restes de l'imprimerie. Il se mit à pleuvoir, et Marie sentit son visage se mouiller et ses mains se faire froides et lourdes comme son cœur. Elle entendait sa sœur pleurer et s'étonnait que son fiancé Bernard ne fût pas là pour la consoler. Alors apparut un laquais en livrée qui invita marraine Angélique à se rendre chez le lieutenant du Roy, M. Malo de Coëtquen. Catherine et Marie furent invitées à l'y suivre. On leur donna un lit sous les combles, chez les servantes, et à manger dans la cuisine, jusqu'à l'enterrement qui eut lieu deux jours plus tard.

À la messe, elles retrouvèrent tante Marguerite qui, les bras couverts de brûlures, avait trouvé refuge chez les ursulines. L'une près de l'autre, à la tête du cortège des femmes, elles regardaient le cercueil inutilement grand où les confréries avaient fait placer ce qui restait de son père, et écoutaient le curé parler des mystérieuses voies de la Providence: «À l'instar de Job sur son fumier, le chrétien ne doit point se laisser aller au désespoir, mais continuer de louer Dieu même dans le plus sombre malheur.»

Marie, qui gardait les yeux secs entre sa tante en pleurs et sa sœur sanglotante, essayait du moins de prier, mais son âme ne parvenait pas à s'élever. Elle lui semblait aussi lourde que son cœur et ses mains.

Après l'enterrement, marraine Angélique retourna à Jagu, et le nouveau grand maître des confréries accompagna les deux sœurs chez maître Nathan Pontorson.

Les jeunes filles connaissaient bien le notaire, car c'était lui qui avait établi le contrat de mariage de Catherine. Ce document, qu'il tenait ouvert devant lui, n'avait maintenant plus de valeur. Vu qu'il n'y avait plus d'imprimerie à hériter de Pierre-Étienne Carduner, Bernard Galinet s'estimait, à bon droit, libéré de tous devoirs à l'égard de la fille du maître.

Alors, maître Pontorson déclara qu'en sa qualité de plus proche parente encore vivante, leur tante Marguerite l'avait désigné comme tuteur, et qu'il avait persuadé les ursulines de les accepter comme sœurs converses postulantes jusqu'à leur majorité, à laquelle date elles seraient à même de choisir si elles désiraient finir leur vie au couvent ou tenter leur chance dans le monde.

Le couvent de Sainte-Catherine, près de Saint-Servan, était bien connu de la noblesse bretonne, qui y envoyait volontiers ses filles. C'était un ensemble de bâtisses de deux étages en granit gris qui s'élevait sur une falaise au bord de la Rance. Les hauts murs de pierre, la forêt et surtout la rivière rappelaient à Marie le château de Jagu et les jours heureux passés auprès de ses nobles parents. Jamais plus elle ne goûterait à pareille vie. Car maintenant son destin, écrit pour toujours dans le grand livre de la Providence, serait d'être sœur converse chez les ursulines ou gouvernante dans quelque maison de notaire ou de négociant.

Catherine pleurait amèrement de ne jamais plus pouvoir devenir l'épouse de Bernard Galinet, maître imprimeur. Marie n'avait même pas de rêve déçu pour lui tirer des larmes, et c'était sans doute pourquoi elle ne parvenait pas à pleurer. Mais, le premier soir au dortoir, lorsqu'elle posa ses mains sur ses yeux pour prier, elles étaient froides comme celles d'une morte. Le vent qui hurlait dans les cheminées, proclamant que la vie humaine est fragile comme une barque dans la tempête, faisait trembler Marie de repentance et de terreur sur son étroite couchette de nonne.

Comme toute apprentie sœur converse, Catherine et Marie furent mises au travail à la cuisine et à la buanderie sous la garde de tante Marguerite. N'était l'habit noir et blanc qui les revêtait toutes les trois, Marie se serait crue encore à l'imprimerie. Elle accomplissait les tâches qu'on lui commandait comme si on avait pu, à tout instant, l'appeler à l'atelier, où l'attendait le véritable travail. Tout en puisant l'eau ou en épluchant les navets pour la soupe, elle essayait de se remémorer les règles du métier apprises de son père, telles que les dimensions des différents types romains ou le rapport entre l'étain et l'antimoine dans l'alliage de plomb.

Vers la fin de novembre, les deux novices furent appelées chez la supérieure, mère Thérèse des Anges. En montant vers sa cellule, elles durent se prendre par la main, tant elles avaient peur qu'une nouvelle catastrophe ne s'abattît sur elles. Mais la supérieure les reçut avec un sourire et les appela «mes chères filles», comme si elles eussent été pensionnaires du couvent.

Mère Thérèse, qui venait de recevoir une lettre de leur bienfaitrice, la baronne de Saint-Modez, était disposée à les laisser suivre l'enseignement, à condition qu'elles aidassent les sœurs préceptrices aux basses tâches, comme de soigner le feu et de laver le plancher des salles. Et pour commencer, le lendemain même, elles devraient accompagner les élèves les plus âgées en ville, où elles allaient, en l'honneur de sainte Catherine, porter l'aumône aux bons pauvres de Saint-Malo.

Pour qui est né *intra-muros*, il paraît insolite de contempler les remparts de sa ville de loin et de l'extérieur. C'était si étrange de voir les murs grandir à mesure qu'elle s'en approchait, que Marie en oubliait la lourde charge de lard et de farine qu'elle avait à porter. Elles avançaient le long du Sillon qui reliait l'île à la terre ferme, enfonçant à chaque pas dans le sable encore humide de la marée. Les demoiselles n'avaient chacune au bras qu'un petit panier empli de gaufrettes et de noix, et l'ursuline qui les accompagnait, rien qu'une aumônière, aussi marchaient-elles d'un pas léger que Catherine et Marie avaient peine à suivre. Elles se firent même attendre un moment à la porte de la ville, mais sœur Antoinette omit de les rabrouer en présence des gardes.

Ainsi, pour la première fois depuis l'enterrement, Marie se retrouvait en ville. Elle portait sur gens et maisons un regard avide, à la recherche de signes indiquant que tous et toutes se trouvaient aussi changés qu'elle-même. Mais les ruelles au pied des remparts, les rues et les places étaient pareilles à ce qu'elles étaient depuis son enfance, usées par le vent de mer et pourtant pleines de l'activité tranquille qu'elle y avait toujours connue.

Seule la rue des Cordiers, où, autrefois, l'imprimerie se dressait entre deux autres maisons, comme elles haute, étroite et revêtue d'ardoises, témoignait de la colère divine en laissant voir un vide noir dans l'alignement des façades.

Marie posa sur le sol sa hotte presque vide et courut vers les ruines.

Des éclats de verre crissèrent sous ses pas là où il y avait eu une fenêtre, et ses souliers se couvrirent d'une poussière de cendre. Un trou béait dans le sol dallé: dans la pénombre, elle aperçut les restes de la grande presse qui étaient tombés dans la cave et qui gisaient, noirs et tordus, sous le volant en forme de croix. Elle s'avança vers l'atelier de composition. Sur les éclats de marbre tombés à terre brillaient des restes de plomb fondu. Le soleil du soir, jaillissant soudain des nuages, fit luire un objet sur le plancher gris. Elle le ramassa dans la cendre.

Une petite boule de plomb, tout ce qui restait du petit romain de son père, reposait, lourde, rassurante et comme chaude de vie dans la main de Marie. Elle éclata en pleurs irrépressibles.

Elle sanglotait si violemment qu'elle en perdit le souffle et fut prise de crampes, si bien que sœur Antoinette dut renoncer à la morigéner pour avoir manqué à son devoir d'obéissance. Elle fut même obligée de soutenir la pécheresse tout au long du chemin pour rentrer au couvent. Là, on transporta Marie à l'infirmerie, toujours hoquetante de pleurs, pour y être saignée par sœur Élisabeth, qui faisait office de médecin.

Le silence attentif de l'avent s'était déjà établi dans le couvent quand Marie fut déclarée assez forte pour reprendre ses devoirs auprès des grandes élèves. Les demoiselles qui avaient été témoins de son accès de larmes l'accueillirent avec des regards curieux, mais elle n'eut pas l'embarras d'avoir à répondre à leurs questions, car aucune d'entre elles ne lui adressa la parole.

L'enseignement était difficile à suivre, car il était fait en latin, langue que Catherine et Marie ne connaissaient que par les services à l'église. Comme la plupart des écoliers et des pensionnaires de couvent, les demoiselles parlaient parfaitement le latin, ayant appris à lire dans le *Commentarii de bello gallico* de César. Les sœurs Carduner, elles, n'avaient jamais fréquenté l'école, mais avaient appris à compter sur le boulier de leur père et à lire et à écrire en français à la lecture des épreuves d'imprimerie qui leur tombaient sous la main. Mais elles savaient, aussi bien que n'importe quelle demoiselle, qui étaient Plutarque et saint Thomas d'Aquin, ayant elles-mêmes placé les feuilles de papier dans la presse où s'imprimait la traduction en français de leurs œuvres.

Au couvent, la bibliothèque était une salle fermée à clé où seuls quelques élus avaient le droit de pénétrer, aussi Marie souffrait-elle de ne pouvoir, comme autrefois, lire tous les livres qu'elle voulait. Le premier livre sur lequel elle parvint à mettre la main était un recueil broché, écrit par des jésuites, qui s'intitulait *Relations*; les bons pères, qui avaient traversé l'océan pour porter l'Évangile aux sauvages, envoyaient chaque année de longs rapports à leur principal, à Rome, et ces écrits, réunis en brochure, étaient distribués dans toute la chrétienté. Au couvent de Sainte-Catherine, on préférait à tous les autres les récits venant de la Nouvelle-France, qui apportaient souvent aux ursulines des nouvelles de leurs sœurs du couvent de Québec. Une dizaine d'années plus tôt, deux d'entre elles étaient parties rejoindre mère Marie de l'Incarnation et son petit troupeau canadien, aussi les autres espéraient-elles retrouver leurs noms dans ces lettres du Canada.

Des larmes de déconvenue montèrent aux yeux de Marie quand elle découvrit que les *Relations* des jésuites étaient écrites en latin! Elle se risqua, moite de peur, à demander au maître de latin, le père Saint-Efflam, s'il en existait une traduction en français. Au lieu de la recevoir avec colère ou mépris, il se contenta de hocher tristement la tête. Puis il lui proposa en souriant de l'aider à en faire une, qui servirait assurément à l'édification de tous les fidèles du diocèse.

Tout l'hiver, Marie venait retrouver le maître après qu'il eut terminé son enseignement. En écrivant sous sa dictée, elle se mit à comprendre de plus en plus souvent les mots latins qui, d'abord, l'avaient emplie d'un si cuisant désarroi. Vers Pâques, la traduction terminée, elle put enfin lire ce que les jésuites racontaient des Iroquois et des Algonquins, ces sauvages qui vivaient dans des forêts sans bornes où les hordes de loups poursuivaient de grandes bêtes cornues et où les bièvres construisaient des digues aussi hautes que la porte d'une ville. Là-bas, l'hiver était si rude que la mer gelait le long des côtes, et que la neige demeurait sur la terre, comme une cuirasse épaisse et dure, de novembre à avril.

En dépit de cela, des Français s'étaient établis sur la rive d'un grand fleuve qu'on appelait le Saint-Laurent; ils y cultivaient le sol fertile, transformant cette terre revêche en une colonie où coulaient le lait et le miel.

En voyant l'épaisse liasse de feuillets où se révélaient ces merveilleux récits, Marie se dit qu'elle aurait mérité d'être imprimée en romain sur papier vélin. Le père Saint-Efflam chargea cependant Catherine et une autre sœur converse de copier sa traduction, et, bientôt, toute la paroisse se mit à parler avec flamme de la colonie de l'autre côté de l'Atlantique.

Les demoiselles du couvent parlaient, elles aussi, du Canada: deux ou trois d'entre elles avaient des frères officiers qui étaient partis ou allaient partir pour rejoindre le régiment de Carignan-Salières, qui protégeait les colons contre les attaques des Iroquois. Et certaines, parmi les plus pieuses, rêvaient de se faire ursulines au couvent de Québec.

Catherine et Marie n'avaient pas beaucoup de temps à se donner l'une l'autre, mais chaque fois qu'elles étaient ensemble, la plus jeune ne pouvait s'empêcher de parler du pays de ses rêves, cette

Nouvelle-France que les jésuites dépeignaient sous des traits si séduisants. Elle n'avait pas grand espoir de jamais pouvoir y aller, mais elle ne parvenait pas à brider sa fantaisie et s'imaginait nonne et même maîtresse d'école dans le lointain couvent que mère Marie de l'Incarnation décrivait dans ses lettres: «Une maison tout en pierre, quatre-vingt-douze pieds de long et vingt-huit de largeur. C'est la plus belle et la plus grande maison qui soit en Canada pour la façon d'y bâtir.»

Son envie se fit à la fin si forte qu'elle osa demander audience à la supérieure et se proposer comme sœur converse dans le Nouveau Monde. Mère Thérèse lui caressa la joue d'un air triste en disant qu'elle aurait souhaité voir de plus nombreuses demoiselles partager son ardeur. C'était en effet de filles bien dotées de gentilshommes ou de riches bourgeois dont la congrégation avait besoin en ces temps difficiles. On avait bien assez de sœurs converses, tant ici qu'en Nouvelle-France, où nombre d'Algonquines nouvellement converties désiraient se consacrer au Seigneur.

L'ayant longuement regardée dans les yeux, la supérieure ajouta enfin qu'elle ne croyait pas Marie vraiment faite pour une vie de prière et d'obéissance. Dieu la destinait sans doute au monde.

Après ce refus, les jours furent de nouveau vides et gris. Marie suivait chaque jour l'enseignement, mais la joie d'apprendre s'était envolée, et elle était souvent prise de violents accès de larmes. Au milieu d'un cours de latin, ou tandis qu'elle suivait les demoiselles en promenade dans le parc, il lui arrivait soudain de se croire revenue dans les ruines de l'imprimerie, la petite boule de plomb serrée dans le creux de sa main. L'impression en était si vive qu'elle ne parvenait pas à la tenir à distance; alors, le chagrin la frappait comme d'un coup de fouet. Elle avait beau savoir que ces accès de larmes, fruit de son esprit rétif, étaient un péché contre la volonté de Dieu, elle ne pouvait rien pour les empêcher.

Un an après la mort de leur père, marraine Angélique arriva au couvent pour emmener ses filleules à la messe anniversaire. Comme pour un dimanche, la cathédrale était pleine d'artisans et de bourgeois, vêtus de leurs plus beaux habits, qui accompagnèrent Catherine et Marie au cimetière, où les confréries avaient élevé une belle croix de pierre sur la tombe de maître Pierre-Étienne Carduner.

Maître Pontorson, le notaire, les invita chez lui après la messe. La mère supérieure lui ayant fait savoir que ces pupilles avaient exprimé le désir d'aller au Canada, il avait un projet à proposer à leur bienfaitrice, la baronne de Saint-Modez.

En présence de marraine Angélique, le notaire était infiniment plus courtois qu'auparavant à l'égard de Catherine et de Marie. Il les pria de s'asseoir sur des chaises en cuir repoussé et leur offrit du vin avec des gâteaux, puis leur montra une lettre qui portait le sceau du Roy et la signature de son ministre, Jean-Baptiste Colbert. Enfin, se tournant vers sa noble invitée, il entreprit de lui expliquer l'affaire.

En Nouvelle-France, tous les soldats, qui avaient servi le Roy pendant les trente-six mois de leur contrat, avaient le droit de s'établir colons sur la terre d'un seigneur. Nombre d'entre eux s'y décidaient plutôt que de revenir en France, où ne les attendaient ni terre ni lettre patente. Au Canada, le climat était certes rigoureux, mais la terre était fertile et les forêts pleines de gibier dont un habile chasseur pouvait se servir pour payer ses charges au seigneur. Pour tout dire, il ne manquait rien à ces braves colons, sinon une épouse aimante et laborieuse.

C'est pourquoi le Roy, dans sa grande sagesse, avait décidé d'accorder sa protection aux filles ou aux demoiselles vertueuses qui voudraient bien partir pour la colonie. «Les Filles du Roy», car c'est ainsi qu'on les nommait dans les mémoires publics, recevaient de l'État une place à bord d'un navire pour aller en Amérique et une dot de cinquante livres à la signature de leur contrat de mariage. Cette année, vingt jeunes filles étaient déjà parties, et toutes avaient aussitôt trouvé un mari. Les choses étant ce qu'elles étaient, il voulait conseiller à Catherine et à Marie de suivre leur exemple.

Maître Pontorson hocha une ou deux fois la tête en souriant, puis le silence se fit dans la chambre. Dans la baie, un navire levait les voiles, mais personne n'entendait le chant des marins à travers les fenêtres fermées. Marie sentait l'engourdissement s'emparer de tous ses membres, comme si son cœur avait cessé de battre, tandis que Catherine, la bouche ouverte, respirait trop vite, avec un bruit strident. Elles n'osaient pas se regarder et cherchaient à éviter les yeux pleins d'espoir de leur marraine.

Une clochette tinta quelque part dans la maison, et le notaire se remit à parler. Le ton de sa voix s'était fait plus brusque: comment deux filles comme elles pouvaient-elles refuser pareille offre? Quel destin plus heureux avaient-elles donc l'espoir de trouver en France, pauvres et orphelines qu'elles étaient? Car elles devaient bien comprendre qu'aucun honnête homme ne saurait choisir pour épouse une fille qui n'avait même pas de trousseau à apporter à son ménage. Or il valait assurément mieux d'être mariée au Canada que point mariée du tout.

Lorsque Catherine et Marie rentrèrent au couvent ce soir-là, leur réponse se trouvait déjà entre les mains de M. de Coëtquen qui, dès le lendemain, devait la transmettre au Roy.

Bientôt, on apprit au couvent qu'elles avaient demandé à être acceptées comme «Filles du Roy», nouvelle qui eut sur les demoiselles l'effet d'un sortilège. D'un coup, même les plus hautaines se mirent à sourire à Catherine et à Marie, et il arrivait même qu'on les saluât d'un mot aimable. Plus que jamais, les *Relations* des jésuites furent l'objet de commentaires enflammés parmi les pensionnaires, qui lançaient des regards d'admiration aux vaillantes Filles du Roy qui allaient bientôt voir de leurs propres yeux l'étrange pays que dépeignaient si bien les missionnaires.

Quelque temps avant la Noël, la mère supérieure fit savoir que sœur Isabelle, sœur Agnès et une novice devaient, l'année prochaine, partir pour Québec afin d'y rejoindre le couvent des ursulines. La sœur converse Marguerite Carduner avait été désignée pour les suivre sur la mer à titre de servante, ce qui lui permettrait aussi de voir ses nièces heureusement établies dans leur nouveau pays. Comme le voulait la coutume à Sainte-Catherine chaque fois qu'une pensionnaire était sur le point de se marier, Catherine et Marie durent prendre congé de la vie conventuelle pour s'habituer au monde avant de changer d'état.

Les adieux furent solennels et mouillés de larmes. L'une après l'autre, les religieuses et les pensionnaires vinrent féliciter les Filles du Roy qui faisaient retomber sur leur couvent un si grand honneur, et mère Thérèse des Anges les embrassa longuement avant de leur donner sa bénédiction.

Marie ressentait une étrange tristesse à la pensée de se défaire de l'habit noir et blanc qui, pendant plus d'un an, avait été son refuge et sa carapace. Mais elle avait tant grandi ces derniers mois qu'elle ne put remettre ses vieux vêtements mondains. C'est donc en habit de postulante qu'elle dut partir pour le château de Jagu, le lendemain.

Les deux sœurs avaient trouvé place dans un chariot qui apportait au château un tonneau de malvoisie pour la fête de Noël. Le voyage dura moins de vingt heures, car les deux charretiers se relayaient pour conduire et changeaient de chevaux toutes les cinq lieues, plutôt que de s'arrêter pour dormir dans une auberge de roulage. La nuit leur parut longue et froide. Elles étaient assises sous une bâche de part et d'autre du précieux tonneau qui, roulant de droite à gauche, pressait soit l'une, soit l'autre, à chaque tournant de la route. Elles ne pouvaient pas se voir, mais elles écoutaient les charretiers parler entre eux à haute voix pour se donner du courage. Car ils avaient entendu dire à Saint-Malo qu'on avait vu des brigands dans les bois de Saint-Clet, et ils savaient d'expérience n'être jamais à l'abri des loups sur la lande de Lanvollon, surtout lorsqu'il y avait des femmes dans la voiture.

Quand les jeunes filles arrivèrent au château de Jagu, le lendemain matin, elles étaient si courbatues et si terrifiées que le baron en personne se chargea de les faire mettre au lit avec un verre de malvoisie chaud en guise de tonique.

L'année précédente, elles avaient été logées dans une chambrette sans cheminée au sommet de la tour du nord, mais un pareil réduit étant indigne de Filles du Roy, on leur donna une grande chambre au bel étage, juste en face des appartements des enfants Saint-Modez. Simon, le fils aîné qui passait l'hiver au château, s'ennuyait au sein de sa famille. Aussi était-il le plus empressé à écouter et à s'enquérir lorsque Catherine et Marie lisaient quelque page des *Relations* des jésuites ou parlaient de la Nouvelle-France.

L'année passée au couvent avait rendu les deux sœurs timides au point qu'elles osaient à peine lever les yeux sur qui leur parlait. Il arrivait toutefois que Catherine regardât Simon lorsqu'il avait détourné les yeux, et Marie remarquait alors qu'elle rougissait ou se mordait les lèvres comme pour cacher un sourire. Mais elle était elle-même si occupée à satisfaire la curiosité que marraine Angélique et ses filles avaient du Canada et de ses merveilles, qu'elle n'y attacha pas d'importance.

Le 6 janvier, les Saint-Modez avaient coutume de donner deux fêtes en l'honneur de l'Épiphanie: le matin, ils ouvraient la grande salle du château aux paysans du domaine pour partager avec eux la galette des Rois, et celui qui trouvait la fève, fût-il mendiant ou fils de la maison, devenait roi et commandait à tous jusqu'à la fin de la fête. Le soir, le baron donnait un bal auquel était conviée toute la noblesse des environs. Les invités arrivaient en voitures fermées pour être logés au château pendant trois jours, car la fête des Rois chez les Saint-Modez était l'apogée de la vie mondaine dans tout le Trégor.

Catherine et Marie se réjouissaient énormément du bal. Elles ne savaient pas danser le menuet ni la gavotte, mais elles avaient au moins appris à faire la révérence et à sourire au lieu de rougir quand on leur adressait la parole. Marraine Angélique avait donné à chacune d'elles une de ses vieilles robes de soie, si bien qu'elles se sentaient plus que jamais Filles du Roy lorsqu'on les présenta aux invités.

Il apparut que le baron faisait grand cas de Mme de Kervrezel et de sa fille, Alaine, une enfant de seize ans brune et maigre qui rappelait à Marie l'image d'une biche aux abois. Simon la conduisit à table et ouvrit le bal avec elle, mais passa le reste de la longue soirée aux côtés de Catherine, qu'il appelait «ma petite cousine». Il lui apprit à danser la pavane comme à Versailles, pour qu'elle n'allât point faire honte à la Bretagne dans le Nouveau Monde.

Le lendemain, Simon lui garda toute son attention alors que les jeunes invités se promenaient dans la forêt le long de la rivière, mais Marie ne s'en soucia guère. Elle avait, la veille, reçu du père Saint-Efflam une dernière livraison des *Relations* des jésuites et brûlait d'envie d'en faire part à tous, car il y était conté les affaires les plus effroyables: les Anglais, qui avaient établi une colonie sans seigneuries sur la rive sud du Saint-Laurent, s'étaient alliés aux sanguinaires Iroquois, et voici que païens et hérétiques, unissant leurs efforts, avaient attaqué la forteresse de Québec, conquis et brûlé bastions et fermes, tué nombre d'hommes et même ravi des femmes et des enfants! Tous frissonnèrent à l'idée que les deux Filles du Roy qui se promenaient tranquillement avec eux seraient bientôt en butte à d'aussi inconcevables dangers, et Simon passa son bras autour des épaules de Catherine, comme pour la protéger des flèches des Iroquois.

Au coucher, le soir, Marie s'aperçut que les yeux de sa sœur étaient rougis de larmes, mais n'apprit pas la raison de son tourment avant le lendemain. Alors qu'elle se rendait à la bibliothèque pour y traduire le reste des *Relations* des jésuites, elle entendit par hasard la voix de marraine Angélique par une porte ouverte. Elle parlait sur un ton de blâme et de colère fort inhabituel chez elle, d'ordinaire si douce et enjouée. Et c'était Simon qu'elle réprimandait de s'être entiché d'une parente sans fortune. N'avait-il donc pas compris pourquoi elle, qui était la marraine de Catherine, s'était empressée de lui faire quitter la maison dès la mort de son père? Pourquoi elle désirait la voir le plus vite possible, mariée à quelque paysan canadien? Avait-il oublié son devoir, lui qu'on avait fiancé dès sa plus tendre enfance à Alaine de Kervrezel? Ne comprenait-il pas combien son engouement pouvait nuire à la renommée de Catherine? Il pouvait s'estimer heureux que ce fût elle, sa clémente mère, qui ait senti la première où soufflait le vent, et non point l'impitoyable baron.

Marie n'en dit rien à sa sœur, mais elle ne fut pas étonnée qu'arrive, deux semaines plus tard, une lettre de maître Pontorson priant ses pupilles de rentrer au plus vite à Saint-Malo pour soigner sa mère qui venait d'être frappée d'apoplexie. Catherine pleura doucement pendant tout le voyage de retour, qui fut aussi rapide que l'aller. Cette fois encore, elles se trouvaient sous une bâche dans le chariot du château, mais elles n'avaient pas froid, car marraine Angélique leur avait fait mettre de la paille pour s'asseoir et des peaux de mouton pour se couvrir. Allongée et à demi endormie, Marie entendit tout le long du chemin le charretier chanter de longues ballades tristes dans une langue qu'elle savait être le breton, mais dont elle ne comprenait pas un traître mot.

Et puis elles se retrouvèrent à Saint-Malo, dans le bel hôtel d'où l'on voyait la cale de Dinan. La vieille mère du notaire, alitée depuis une attaque, demandait à être soignée comme un nourrisson, mais elle avait l'esprit clair et un regard perçant pour surveiller les domestiques. Les servantes, qui oubliaient de faire une révérence en entrant dans la chambre de la vieille dame, se faisaient aigrement réprimander, et même menacer de la vengeance divine. Car Dieu n'avait pas seulement créé le Tiers État pour servir les deux premiers, il avait aussi créé les jeunes gens pour servir et honorer les vieilles personnes.

Marie et Catherine ne s'en accordèrent pas moins fort bien avec leur patiente, parce que celle-ci aimait à écouter des histoires et qu'elles étaient toujours disposées à lui en lire.

L'hiver avait ainsi passé. La veille, leurs contrats étaient revenus à Saint-Malo avec le sceau du Roy et une dépêche du ministre leur enjoignant de se préparer à embarquer à Dieppe au début de juillet.

La pénombre avait envahi la chambre sans que Marie eût pensé à allumer sa chandelle, car on réfléchit mieux dans l'obscurité. D'ailleurs, elle savait bien qu'elle n'aurait jamais le temps d'écrire son journal tant qu'elle logerait chez maître Pontorson. Un violent tumulte d'aboiements s'éleva soudain de la grève, annonçant que les chiens du guet venaient d'être lâchés. Toute la nuit, les grands dogues anglais allaient courir au pied des remparts, éloignant les voleurs des navires échoués à la cale jusqu'à ce que la trompe, à l'aube, les rappelât au chenil. Au loin, une grande flamme rouge jaillit soudain au sommet de la tour qui marquait l'entrée de la Rance, emplissant la fenêtre de sa clarté chaude et répandant sur toute la côte une lueur de braises sous la cendre.

C'était le soir.

Catherine ouvrit la porte et dit doucement que la vieille dame était prête pour la nuit et attendait sa lectrice.

CHAPITRE 2

L'hôpital

Quatre jours après Pâques, au milieu de la nuit, la vieille dame se mit soudain à crier comme une bête. «Atan! Atan!» hurlait-elle, le regard égaré, fixé sur la courtine. Son visage était tordu et ses yeux saillaient comme s'ils allaient lui sortir des orbites.

Catherine, qui était de garde, sonna Marie à qui, d'ordinaire, il suffisait d'apparaître avec un livre à la main pour que la malade se rassure. Mais, cette fois-ci, il sembla qu'elle ne la vit même pas entrer dans la chambre.

Peut-être la vieille dame s'était-elle de nouveau souillée? Marie souleva délicatement les couvertures et renifla. Tout était aussi propre et sec qu'après la toilette du soir. La malade ne bougeait cependant plus les mains, qui reposaient sur le drap, lourdes et en apparence vidées de leur sang. De plus, elle n'arrêtait pas de crier de fureur ou de crainte, comme si c'était la porte de l'enfer et non point une tenture d'indienne qu'elle avait sous les yeux.

Ni Catherine ni Marie n'osaient quitter la patiente pour quérir de l'aide, mais ses cris eurent tôt fait d'éveiller toute la maison. Les serviteurs, les clercs et les enfants Pontorson restaient, épouvantés, à la porte de la chambre, osant à peine y jeter un coup d'œil avant de se signer et de murmurer quelque prière d'exorcisme. Car on aurait bien dit que la vieille dame était possédée du démon.

Enfin, le notaire lui-même apparut, en robe de chambre et bonnet de nuit. Il s'arrêta un instant sur le pas de la porte à regarder sa mère de loin, puis il se mit à donner des ordres d'un ton brusque.

Il envoya la femme de chambre quérir le médecin, et le cocher, Joseph, un confesseur. À tous les autres, les sœurs Carduner exceptées, il commanda de se réunir dans la grand-salle et de prier pour l'âme de la vieille dame.

Puis il s'approcha du lit et fit lentement passer sa main devant les yeux de sa mère. La vieille dame continuait à regarder les courtines de ses yeux vides, et Marie comprit qu'elle était devenue aveugle. Elle percevait toutefois que son fils était dans la chambre, car, aussitôt qu'il se fut assis près d'elle et eut pris sa main sans vie entre les siennes, elle cessa d'appeler et se mit à geindre doucement.

Elle était toujours calme lorsque le médecin arriva, mais se remit à hurler dès que Catherine et le notaire lui lâchèrent les mains. Le docteur Martinus parvint cependant à alléger le poids qui lui encombrait la cervelle en la saignant d'une demi-pinte. Les dernières gouttes d'un sang noir et épais coulaient encore lorsque le confesseur apparut à la porte de la chambre.

M. Dumarais était un homme grand et maigre, connu dans tout le diocèse pour sa sévérité, car il appartenait au parti des Dévots. Il resta longtemps sur le seuil à étudier la vieille dame d'un regard dur, puis, ayant constaté qu'elle restait tranquille sur son lit, il aspergea le linteau de la porte d'eau bénite et pénétra dans la chambre d'un pas grave.

Se tournant vers Catherine d'un air de blâme, il lui demanda si elle avait entendu Mme Pontorson appeler le diable. Catherine éclata en sanglots et bredouilla quelques mots dans son mouchoir.

Alors, le prêtre s'adressa à Marie. La bouche sèche et le ventre tourneboulé par la peur, elle parvint toutefois à répondre d'une voix ferme qu'elle avait entendu la patiente crier «Atan», et qu'elle en avait conclu qu'elle appelait son fils.

«Je m'appelle en effet Nathan», dit le notaire.

Les lèvres pincées, le prêtre lança un regard d'interrogation au médecin, qui entreprit de dépeindre l'état de la patiente avec toute l'autorité de sa science. La vieille dame venait sans doute de subir un nouveau coup de sang, le troisième en six mois, et cette attaque l'avait rendue à la fois aveugle et paralytique. Il ne faisait, à son avis, aucun doute qu'elle avait perdu tout ce qu'il lui restait de bon sens bien avant qu'elle ne se fût mise à crier.

M. Dumarais promena son regard incrédule de l'un à l'autre. Il n'avait pas grand respect pour la médecine, fille, comme les autres sciences, du péché originel et de la déplorable curiosité qui avait poussé Ève et Adam à goûter au fruit de l'arbre de la connaissance. Aussi accordait-il plus grande confiance aux naïfs serviteurs qui, pour leur part, étaient sûrs d'avoir entendu la vieille dame appeler Satan; et, pour cette raison, il refusa d'abord de lui donner les derniers sacrements. Il ne consentit à lui accorder l'extrême-onction qu'après que le notaire eut accepté de se soumettre, avec toute sa maison, à une neuvaine de prière et de pénitence.

Les servantes apportèrent le grand cierge de Pâques dans son chandelier d'étain et le placèrent à gauche du lit. Puis, tous prirent place le long des murs et se mirent à prier tandis que M. Dumarais administrait le sacrement.

Quand il eut fini, il se tourna vers le notaire et demanda à voir la dame du logis. Un murmure parcourut la chambre, et les serviteurs échangèrent des regards étonnés, car ils venaient d'entendre leur maître dire que Mme Pontorson était en visite chez sa sœur, à Saint-Hellier dans l'île de Jersey. M. Dumarais garda les yeux fermés tandis que Pontorson lui assurait qu'il allait sur-le-champ rappeler sa femme à Saint-Malo; quand il les rouvrit, ce fut pour balayer la chambre d'un regard lourd en enjoignant le notaire de se tenir éloigné de Catherine. Puis il recommanda aux serviteurs de veiller à ce que personne ne succombât au péché de la chair. Car il est bien connu que la luxure a beau jeu dans une maison où l'on vient d'invoquer Satan.

Enfin, il sortit de la chambre dans un bruissement de soie, suivi du maître, des serviteurs, des clercs et des enfants qui n'osaient ni parler ni échanger le moindre regard. Catherine et Marie se retrouvèrent seules au chevet de la malade qui s'était mise à gémir comme un enfant abandonné.

La vieille dame demeura à l'agonie pendant sept jours, tandis qu'une tempête d'avril faisait rage dans le golfe de Saint-Michel, empêchant les navires de quitter le port, tant en Bretagne que sur les îles. Mme Pontorson n'arriva qu'au moment où le notaire allait refermer le cercueil dans lequel reposait, sur un drap de velours noir, le corps ratatiné de sa mère. Catherine pleurait à côté de lui en lui passant les vis.

À peine revenue du cimetière, la maîtresse de la maison appela auprès d'elle Catherine et Marie. Ses yeux d'un brun sombre, son regard dur et inquisiteur rappela à Marie M. Dumarais.

Elle resta là longtemps à les regarder, un sourire méprisant aux lèvres, puis se mit à leur crier d'arrêter leurs simagrées. Personne, dans la maison, ne se laissait tromper par leurs larmes pour une vieille femme qui n'était même pas leur parente. Il ne leur fallait d'ailleurs

pas oublier qu'elles n'étaient que des servantes, chargées par le notaire de s'occuper de sa mère malade tant
que celle-ci était en vie. Maintenant qu'elle était morte,
elles devaient, sur-le-champ, quitter la maison.

Catherine éclata en sanglots, et Marie fut soudain
envahie d'un sentiment inconnu qui lui mit le feu aux
joues. Elle brûlait de l'envie de crier: «Vous n'avez pas
le droit de décider de nous, c'est le notaire qui est
notre tuteur!»

Mme Pontorson sourit avec condescendance, comme
si elle lisait les pensées de Marie. Elle venait en effet de
disputer de l'affaire avec son mari; comme elle-même,
il croyait que, jusqu'à leur départ pour le Canada,
l'hôpital de la ville était la demeure qui convenait le
mieux aux deux sœurs.

La maîtresse de la maison déclara pour finir qu'elle
ferait cadeau à chacune d'une couverture pour les
remercier d'avoir si bien soigné la vieille dame, mais
Marie ne l'entendit même pas. Un seul mot empli
d'horreur résonnait encore et encore à ses oreilles:
l'hôpital!

C'était, près de la porte Saint-Pierre, un édifice long
et bas que géraient les sœurs du Saint-Esprit. Elles n'y soi-
gnaient pas seulement les malades, mais y recueillaient
aussi les orphelins et les vieillards sans ressources qui
n'avaient ni famille ni confrérie pour les prendre en
charge. De temps en temps, une ordonnance royale faisait vider la ville de ses mendiants et de ses ribaudes.
Alors, tous ces pécheurs teigneux et vérolés étaient saisis
par les sergents de ville et amenés hurlants à l'hôpital, où
on les mettait à carder le lin en charpie et à découper de
l'étoffe en lanières pour en faire des pansements. Après
quelques mois, ou seulement quelques semaines, lorsque
les finances de la ville étaient basses, on renvoyait les
ribaudes et les mendiants dans la rue, où ils recommen-
çaient à semer le scandale parmi les honnêtes gens.

C'était donc dans ce lieu d'horreur que Mme Pontorson voulait les envoyer...

La supérieure, mère Jeanne, était une petite bonne femme au visage rond dont les yeux bleus et doux étaient pleins d'eau, comme si elle ne pouvait s'arrêter de pleurer sur toute la misère qu'abritait l'hôpital. Elle assura le notaire que ses pupilles ne seraient pas traitées comme de simples mendiantes, mais qu'on leur témoignerait tout le respect dû à des Filles du Roy. Si Catherine et Marie consentaient à aider aux soins des malades, elles pourraient même porter l'habit de postulante et prendre part, aussi longtemps qu'il le faudrait, à la vie de travail et de prière qui était celle de ses sœurs.

Le soir même, cotte, jupon, basquine, corps de cotte et autres atours mondains dont les avait équipées marraine Angélique se trouvèrent serrés dans un coffre, et les deux sœurs, de nouveau revêtues d'une tunique de nonne sous le scapulaire de toile cirée que portaient les infirmières. Personne, en tout cas, ne saurait plus soupçonner Catherine d'inciter qui que ce soit à pécher contre la chair, se dit Marie en nouant la guimpe et le voile sur les beaux cheveux de sa sœur.

Aussitôt après vêpres, on les envoya aider l'infirmière de nuit, sœur Armelle, à sa ronde du soir. On leur confia à porter entre elles un grand chaudron de cuivre plein d'une tisane apaisante qu'on donnait aux malades pour les aider à dormir.

Lorsque sœur Armelle ouvrit la porte de la salle des hommes, une telle puanteur sauta au nez de Marie qu'elle faillit lâcher l'anse du chaudron et tomber en pâmoison sur le sol: c'était une odeur douceâtre et malsaine de sang et d'excréments qu'elle croyait, jusque-là, être propre aux lieux où l'on écorchait et dépeçait les bêtes, tels qu'abattoirs ou tanneries.

De part et d'autre de la longue salle, les malades
étaient couchés deux par deux dans de grands lits
sans courtines, simplement séparés par des rideaux
de toile grise. Devant chaque lit, l'infirmière de nuit
leur expliqua ce dont souffraient les patients, la puanteur changeant de caractère avec chaque maladie.
Ceux qui empestaient le plus étaient les deux idiots,
un jeune garçon et un vieillard, qui partageaient le
dernier lit: en plus d'un relent de crasse et d'urine, il
se dégageait d'eux une odeur âcre, sauvage et incom-
préhensible.

Chez les femmes, une vapeur de vinaigre se mêlait
à la pestilence animale et la rendait plus fraîche. Cela
venait de ce que les accouchées, qui avaient leurs lits
près de la porte, se lavaient à l'eau vinaigrée pour arrêter leur saignement aussitôt après leur délivrance. Elles
ne restaient jamais bien longtemps à l'hôpital, mais le
quittaient après une nuit de sommeil, et, d'ordinaire,
sans emmener leur enfant. Les sœurs s'efforçaient de
trouver, dans les villages d'alentour, des nourrices à ces
orphelins, car chacun sait qu'il est impossible d'élever
un nouveau-né avec du lait de bête, qu'il soit frais, cuit
ou sur, d'ânesse, de chèvre ou de vache.

Lorsque les enfants atteignaient deux ans, les familles nourricières les renvoyaient parfois à l'hôpital,
raconta sœur Armelle. Là, les sœurs s'occupaient d'eux
jusqu'à ce qu'ils eussent sept ans et fussent assez grands
pour être mis en apprentissage chez quelque artisan.
Auprès des enfants, le travail était d'une manière plus
facile, mais la plupart des sœurs préféraient toutefois
s'occuper des malades adultes, qui craignaient Dieu et
respectaient leurs supérieurs. Les enfants, par contre,
étaient si brutaux ou si hébétés, surtout ceux qui
avaient grandi en Basse-Bretagne où ils n'avaient
même pas appris à parler le français, qu'on aurait pu
les croire possédés du diable. Mais ni les novices ni les

visiteuses n'ayant le droit de pénétrer jusqu'à eux, Catherine et Marie n'avaient pas à craindre d'être expo-
sées à cette épreuve.

Au bout d'une semaine, Marie s'était si bien accoutumée à son travail d'infirmière qu'elle n'éprouvait
même plus de nausée en pénétrant dans les salles. La
prière, six fois par jour à la chapelle, lui apportait
d'ailleurs la paix de l'âme. Il ne lui manquait que de
pouvoir lire. À part leur bréviaire et *La Cité de Dieu* de
saint Augustin que l'une d'elles lisait à haute voix pendant les repas, les sœurs du Saint-Esprit ne possédaient
pas de livres. Marie avait une telle envie de voir des
caractères imprimés et de renifler l'odeur amicale et
chaude d'encre, de colle et de cuir qui s'exhale d'un
livre neuf, qu'elle en avait des crampes à l'estomac.

Un dimanche, après la messe, elle prit son courage
à deux mains et demanda à la supérieure la permission
d'emprunter la dernière livraison des *Relations* des
jésuites à la bibliothèque de l'archevêché. Mère Jeanne
la regarda longuement comme si elle ne comprenait
pas de quoi il s'agissait, puis elle consentit à laisser
Marie faire la lecture au réfectoire le lendemain, puisqu'elle savait le latin et qu'elle était disposée à sacrifier
son déjeuner pour l'édification des sœurs.

Catherine ne semblait pas souffrir du manque de
livres. Elle était comme à l'ordinaire silencieuse, mais
elle aimait son travail d'infirmière et savait traiter les
malades avec juste ce qu'il fallait de douceur et d'autorité. C'est pourquoi elle ne mettait pas autant d'enthousiasme que sa sœur à compter les jours qui les séparaient
du départ. D'ailleurs, elle devait encore regretter le
château de Jagu et l'inaccessible Simon, car Marie l'entendait pleurer tous les soirs avant de s'endormir.

Ainsi, les dernières semaines à Saint-Malo auraient
été supportables si les sergents de ville, un soir de juin,

n'avaient amené Manon Tellier à l'hôpital. Elle avait les avant-bras tailladés de profonds coups de couteau.

C'était une grande femme brune et rougeaude aux dents très blanches, qui tenait table ouverte tout près de la tour Notre-Dame. Sœur Armelle l'accueillit avec réserve, car on disait en ville que son lit était aussi ouvert que sa table, et que c'était un amant jaloux qui l'avait ainsi maltraitée. Elle ordonna à Catherine et à Marie de tenir la patiente, versa de l'eau vinaigrée sur les blessures pour arrêter le saignement, et entreprit aussitôt de les suturer.

Manon se mit à hurler comme un cochon à l'abattoir, si bien que toutes les malades capables de quitter leur lit se précipitèrent pour voir la redoutable aiguille de l'infirmière percer une peau bien nourrie, tout en parlant à qui mieux mieux de gangrène et de fièvre tierce. Manon hurlant de plus belle, le vacarme devint si infernal qu'il fit accourir deux sœurs et la supérieure.

Mère Jeanne les renvoya d'abord chacune dans son lit, puis tourna ses foudres vers Manon Tellier que retenaient Catherine et Marie: n'avait-elle pas honte de crier comme une bête, plutôt que de remercier Dieu qui, dans Sa miséricorde, ne l'avait pas laissée saigner jusqu'à ce que mort s'ensuive! Était-ce là l'exemple qu'une tenancière bien lotie comme elle voulait donner à des pauvresses que le sort contraignait à vivre de la charité, sans parler des deux innocentes qui aidaient la sœur infirmière à soigner des gens de sa sorte? Quel souvenir de leur ville natale voulait-elle donc qu'elles emportent au Canada?

Au mot de Canada, comme sous l'effet d'un sortilège, Manon Tellier cessa soudain de crier et, tournant lentement la tête de l'une à l'autre, dévisagea d'abord Marie, puis Catherine d'un regard si perçant que celle-ci dut se détourner. Manon hocha la tête en ricanant, comme si elle ne sentait plus l'aiguille de sœur Armelle dans la chair de son bras. Sa voix tremblait à peine tandis que l'infirmière serrait le nœud de la suture:

«Ne seriez-vous pas les sœurs Carduner que Mme Pontorson a dû mettre à la porte, parce que l'aînée d'entre vous avait pris sa place dans le lit de son mari pendant qu'elle était en voyage?»

Il se fit dans la salle le même silence qu'à l'église lorsque le prêtre élève l'hostie. Seuls parlaient les regards, tous les regards qui se tournaient vers Catherine et Marie en criant «Putain! Ribaude!», comme autant d'accusations qui semblaient ne jamais vouloir s'arrêter.

Alors, Manon Tellier regarda la salle en souriant. Ce qu'elle venait de raconter n'était pas vaine calomnie, continua-t-elle d'un ton doucereux, car elle le tenait de Joseph, le cocher de Mme Pontorson mère, qui était présent lorsqu'elle était tombée malade. Certains prétendaient qu'elle invoquait Satan, mais ce n'était pas vrai. La pauvre vieille voulait seulement faire connaître la vérité sur la sainte nitouche de fille d'imprimeur qui s'occupait d'elle, et dire qu'elle se livrait aux œuvres de Satan avec son tuteur le notaire. Et cela, Joseph l'avait de la bouche même de M. Dumarais, le confesseur de la vieille dame, qui, du premier coup d'œil, avait compris ce qui se passait dans la maison Pontorson.

Catherine, la bouche ouverte et les yeux écarquillés, était raide et pâle comme si elle venait de voir celui que les serviteurs avaient soupçonné la vieille dame d'invoquer, et le sang de Marie bouillait d'une colère si intense qu'elle lui en ôtait l'usage de la parole. Il n'y avait aucun secours à trouver dans le regard de mère Jeanne ni des autres religieuses, car elles avaient toutes baissé les yeux dans l'attente d'une nouvelle salve.

Rien d'étonnant que deux pareilles donzelles eussent été choisies pour être Filles du Roy, car tout le monde savait bien quels modèles de vertu on envoyait en Amérique pour servir de matelas aux colons. Il suffisait d'interroger les anciens de la route des Indes occidentales, ceux qui avaient transporté les premières dans les années trente. Les sergents de ville les ramassaient dans la rue et, au lieu de les amener à l'hôpital, ils les flanquaient sur le bateau des esclaves et vogue la galère! elles se retrouvaient d'un coup transformées en pucelles et filles à marier!

La salle entière éclata d'un énorme rire. Toutes les femmes, jusqu'aux plus vieilles grabataires, se tordaient de gaieté sur leur lit. Une voix s'écria tout à coup: «Moi aussi, je veux être Fille du Roy!», et bientôt toutes les autres reprirent l'antienne en hurlant d'un rire impossible à réprimer. Et, ses mains bandées plantées sur les hanches, Manon Tellier s'esclaffait, debout au milieu du tumulte.

Les religieuses s'enfuirent. Mère Jeanne les entraîna si vite hors de la salle que Catherine et Marie purent à peine s'en échapper avant que la porte ne fût refermée à triple tour. À l'intérieur, Manon entonna une grossière chanson à boire que les autres reprirent en chœur. Le vacarme se propagea comme un feu à la salle des hommes. Jusque dans la chapelle, on pouvait les entendre brailler les noms orduriers des parties honteuses du corps qui formaient le refrain de la chanson.

Le seul moyen de se laver de tout soupçon était de se laisser examiner, dit mère Jeanne. Elle avait appelé Catherine et Marie à son cabinet pour les chapitrer, aussi n'était-ce pas de sa part qu'elles pouvaient attendre la moindre indulgence. Il ne servait à rien que Marie protestât de l'innocence de sa sœur, car le tribunal ne reconnaissait pas le témoignage d'une personne si proche parente de l'accusée, et qui, de plus, était mineure. La supérieure posa son regard mouillé sur Catherine en répétant pour la septième fois, d'un ton sévère, que refuser équivalait à reconnaître sa faute.

C'était maître Pontorson en personne qui avait proposé de passer devant le tribunal pour se disculper d'avoir péché contre le sixième commandement avec l'aînée de ses pupilles, voire avec toutes les deux. Les rumeurs qui circulaient encore en ville nuisaient en effet à la renommée de son étude, car l'honneur d'un notaire, plus que nul autre, se devait d'être sans tache.

Il n'y avait donc d'autre issue que d'obéir à celui qui avait autorité sur elles. Sans quoi elles ne pourraient plus rester à l'hôpital, où elles semaient le trouble dans l'esprit des nonnes qui, craignant qu'elles ne fussent vraiment des filles perdues, n'osaient plus lever les yeux sur elles.

Elles avaient dû cesser d'aider les infirmières dès le lendemain de l'esclandre. Car, même après qu'on eut mis Manon Tellier à la porte, les malades de la salle des femmes continuaient, dès que Catherine et Marie se montraient, à crier «Ribaudes!» et à hurler des chansons obscènes auxquelles les hommes, de l'autre côté du couloir, n'avaient cesse de se joindre, bien qu'ignorant de quoi il s'agissait.

Mère Jeanne toussota pour leur rappeler qu'elle attendait une réponse, mais Catherine était trop étranglée par les pleurs pour pouvoir prononcer le moindre mot. Elle murmura un «oui» que Marie reprit d'une voix claire. Ses mots sonnèrent comme un défi quand elle ajouta: «Et moi aussi.»

La mère supérieure acquiesça d'un signe de tête et se leva. Puis elle leur rappela qu'elles ne risquaient pas de pécher contre la décence en ouvrant le secret de leur sein aux regards des médecins de la cour, car, aux yeux de Dieu, les serviteurs de la loi ne sont pas des hommes, lorsqu'ils exercent la charge qui leur est confiée.

Dix jours plus tard, le tribunal de Saint-Malo fit publier que quiconque accuserait maître Pontorson, le notaire, d'avoir fait œuvre de chair avec Catherine et Marie, filles mineures de feu Pierre-Étienne Carduner, se rendrait coupable de diffamation et serait puni d'amende ou de prison. Lorsque mère Jeanne, toute souriante de satisfaction, leur rapporta cette nouvelle, Catherine se remit à pleurer, et Marie se contenta de hocher la tête. La peur qu'elle avait ressentie avant, pendant et après l'examen lui avait laissé une brûlure au bas-ventre, comme si elle souffrait de la pierre.

Une semaine plus tôt, sœur Armelle les avait suivies jusqu'au palais de justice. Elles avaient quitté l'hôpital plusieurs heures après vêpres, revêtues de leurs capes noires et sans lanterne pour ne pas attirer l'attention en chemin. Puis on les avait fait entrer dans une salle où un juge et deux assesseurs, assis sur une tribune, leur enjoignirent de dire leur nom et leur âge.

Une dame en noir qui se déclara sage-femme les conduisit à une grande table de l'autre côté de la salle et les aida à retirer leur habit de nonne. Quand elles furent en chemise, claquant des dents de froid et de terreur, deux messieurs en robe apparurent et leur ordonnèrent de se coucher sur la table, genoux levés et jambes écartées. Puis ils s'approchèrent, et Catherine se mit à sangloter.

«Taisez-vous, ma fille», lui dit la matrone d'un ton débonnaire. Si elle était aussi innocente que le clamait son tuteur, toute l'affaire serait vite conclue, et oubliée dès qu'elle aurait quitté l'édifice. Puis la matrone saisit une lampe pour éclairer les médecins.

La flamme était si forte qu'elle éblouit Marie, l'empêchant de voir le visage des deux hommes qui se penchaient sur le ventre de Catherine. Mais elle aperçut une main qui plongeait sur sa sœur, qu'elle entendit gémir. Puis les médecins se redressèrent et se mirent à parler en latin, à voix haute et sans gêne, ne pouvant s'imaginer qu'une fille d'artisan recueillie par l'hôpital pût comprendre la langue des gens de science.

«Ils ont vu que tu es innocente», murmura-t-elle à l'oreille de Catherine. Mais elle était si loin, tout au fond de son malheur, qu'elle ne l'entendit pas.

Les médecins s'écartèrent d'un pas et, à leur signe de tête, la sage-femme déplaça la lampe au-dessus des cuisses de Marie. Elle sentit tout à coup un doigt rugueux sur l'endroit innommable d'où coule le sang lorsqu'une fille est en âge de se marier, elle vit la main s'élever vers un visage dont les traits se dissolvaient dans la lumière de la lampe, et elle entendit une voix dire: «*Virgo intacta. Probalite impuberaque.*»

Ainsi, on l'avait, elle aussi, déclarée innocente; de cela, elle était sûre, bien qu'elle n'eût pas compris le mot «*impubera*» dont les médecins s'étaient servis. Mais le signe par lequel ils l'avaient constaté rien qu'en mettant le doigt sur son corps était pour elle une énigme qui l'emplissait de honte et de dégoût.

Ensuite, les juges leur donnèrent à chacune une lettre qu'elles n'auraient qu'à présenter à leur futur, au cas, d'ailleurs fort improbable, où la rumeur de leur faute les aurait suivies jusqu'en Nouvelle-France. Sœur Armelle serra les deux lettres dans son bréviaire et les raccompagna à l'hôpital.

Mère Jeanne se sécha les yeux et entreprit de consoler Catherine. Tout était rentré dans l'ordre, puisque leur honneur était lavé de tout soupçon, et les pires braillardes chassées de l'hôpital. Dès le lendemain, elles pourraient aider sœur Armelle dans sa ronde de nuit.

Elles prenaient donc de nouveau part à la vie laborieuse des sœurs, entre les malades et la chapelle; elles mêlaient leurs voix au plain-chant, essuyaient le sang, changeaient les draps sur les lits et tenaient les patients lorsque la sœur infirmière ouvrait un abcès ou suturait une plaie. Mais rien n'était plus comme avant; on aurait dit que les malades les craignaient et que les sœurs baissaient les yeux lorsqu'elles approchaient. Avant même d'avoir quitté leur ville natale, elles étaient déjà devenues des étrangères.

Les jours passaient, ce fut l'été, mais ni Catherine ni Marie ne parvenaient à oublier Manon Tellier et les médecins du palais de justice. Marie souffrait d'une crampe au ventre qu'aucune tisane ne parvenait à guérir, et les yeux de Catherine étaient aussi constamment mouillés que ceux de la supérieure.

Un jour, mère Jeanne leur fit savoir qu'il était temps pour elles de se défaire de leurs habits de postulantes et de reprendre leurs atours mondains: Marcel, le nouveau cocher de maître Pontorson, les attendait au-dehors avec une voiture pour les mener à leur marraine, qui était arrivée à Saint-Malo pour leur dire au revoir.

Pour la deuxième fois en moins d'un an, Marie s'aperçut qu'elle avait encore grandi: ses jupons étaient devenus trop courts, et sa basquine trop étroite. Par contre, les vêtements flottaient sur le corps de Catherine qui, à l'abri de sa tunique, s'était laissée tant maigrir à force de larmes, qu'elle avait l'air d'une mendiante. Comme il ne se trouvait pas de miroir dans leur cellule, elles durent se regarder longuement l'une l'autre avant d'oser se montrer, et, pour la première fois depuis bien longtemps, elles se mirent toutes les deux à rire aux éclats.

Tout le long du chemin à travers la ville, et même en montant l'escalier de l'hôtel Pontorson, elles continuèrent à rire l'une de l'autre et chacune d'elle-même, comme au temps où elles étaient petites filles à l'imprimerie.

La baronne trônait au salon, entre Mme Pontorson et ses filles, qui l'entouraient comme des dames d'honneur. Bien qu'une légère brise pénétrât par les fenêtres ouvertes, un laquais agitait un éventail de plumes au-dessus des dames, faisant frémir la dentelle de leurs hautes coiffes comme écume au bord des vagues.

Marraine Angélique débordait de joie en annonçant les nouvelles: Simon était enfin marié à Alaine de Kervrezel, ils s'étaient établis dans son domaine, près de la côte, et attendaient un héritier pour la fin de février. Ses deux plus jeunes filles, Sylvie et Madeleine, étaient entrées au couvent des ursulines de Sainte-Catherine pour y rester toute leur vie, à moins que quelque gentilhomme ne demandât leur main. Et la dernière fois qu'ils étaient à Versailles, le Roy avait fait au baron et à elle-même l'insigne honneur de les laisser assister à son repas du soir!

Et voici qu'à Saint-Malo même, Catherine et Marie lui donnaient, elles aussi, d'autres bonnes raisons de sourire de fierté. L'évêque en personne n'avait-il pas offert leur force d'âme chrétienne en exemple aux autres filles du diocèse? Et maintenant le lieutenant du Roy, M. Malo de Coëtquen, demandait à rencontrer ces célèbres Filles du Roy avant leur départ pour la colonie du Nouveau Monde.

Marie fut saisie de stupeur en voyant Mme Pontorson opiner de la tête à tout ce que disait marraine Angélique. Il n'y avait maintenant que douceur et sourire dans les yeux bruns qui, il y avait à peine trois mois, déniaient à sa sœur l'honneur et la vertu. Craignant un nouvel accès de larmes, Marie regarda Catherine. Assise sur une chaise basse, elle avait la tête sur les genoux de sa marraine et souriait comme si toute peine l'avait quittée. Son épaisse chevelure, simplement retenue par un ruban de soie, avait des reflets cuivrés sous les doigts chargés de bagues de la baronne. Si pâle et maigre que l'eussent rendue les épreuves passées, Catherine serait encore la plus belle fille du bal auquel les avait invitées le lieutenant du Roy, se dit Marie avec une fierté tendre.

Mais avant tout, il fallait les équiper tant pour les fêtes que pour la vie de tous les jours. Car maintenant, marraine Angélique ne voulait plus se contenter de leur laisser ses vieilles robes de bal, elle voulait leur faire faire, dans le plus beau satin, des robes neuves dont elles pourraient se parer le jour de leur mariage, à leur arrivée à Québec.

Jamais une baronne n'avait visité la boutique de maître Lamaison, le tailleur. Tous les apprentis furent mis à l'ouvrage pour chercher des rouleaux d'étoffe au grenier ou à la réserve, tandis que le maître en personne prenait mesure de ses pratiques. Qu'elles fussent les filles de son confrère, feu Pierre-Étienne Carduner, semblait l'emplir du plus profond respect. Il s'agitait en marmonnant un flot de «qui l'aurait cru?» et «les gens sont si méchants», entrecoupé d'éclats d'un rire bêlant qui donnait à Marie l'envie de se cacher pour rougir ou ricaner.

Elle dut, pour rentrer, aller à pied derrière la chaise à porteurs de marraine Angélique, où il n'y avait place que pour deux. Il lui semblait étrange de se paonner dans une ville où, si peu de temps auparavant, sa sœur et elle avaient été traitées de ribaudes. Elle avait des souliers légers aux pieds, un chapeau de soie et un châle de dentelle, comme une demoiselle que tous ceux qu'elle rencontre saluent civilement. Jamais de toute sa vie, même au bon vieux temps où elle revenait de la messe avec son père et tante Marguerite, ne s'était-elle sentie si forte et si sûre d'elle-même.

Chez le lieutenant du Roy, les servantes dévorèrent des yeux Catherine et Marie lorsqu'elles leur remirent leurs châles à la porte de la salle de bal: vingt mois plus tôt, celles que l'on fêtait ce soir avaient partagé leur chambre

sous les combles et mangé à la cuisine avec les laquais!
Marie n'en avait cure. Elle savait déjà ce dont toute la maison de M. de Coëtquen faisait des gorges chaudes.

Chez maître Pontorson aussi les clercs racontaient à
qui voulait l'entendre que le lieutenant du Roy ne se
souciait pas plus des deux donzelles que de sa première
bécasse, mais qu'il obéissait aux ordres du ministre.
Brûlant d'enthousiasme pour la colonie d'Amérique,
M. Colbert essayait par tous les moyens d'attirer les
filles de France au pays des Indiens. C'est pourquoi il
avait envoyé, dans toutes les provinces, des lettres aux
évêques et aux maires les enjoignant de faire grand cas
de ces premières Filles du Roy, afin que nombre
d'autres filles et demoiselles suivissent leur exemple et
vinssent se proposer au service du royaume.

De bon ou de mauvais gré, le maître de la ville les
reçut en tout cas avec force saluts et les conduisit lui-
même, Catherine à sa droite et Marie à sa gauche, à la
table où elles furent placées presque en haut. On avait
mis entre elles un chanoine qui leur parla de la
Nouvelle-France, où, dans sa jeunesse, on l'avait envoyé
évangéliser les païens.

Après la maigre pitance de l'hôpital, la profusion de
viandes que l'on apporta, l'une après l'autre, soulevait le
cœur de Marie, qui put à peine goûter aux mets et n'en
eut que plus de temps pour écouter le père Merri.

De son temps, le Canada était encore sous l'autorité
d'une Compagnie qui ne se souciait que des peaux de
castor qu'on échangeait contre de l'eau-de-vie. En ce
temps-là, une seule famille française habitait Québec,
et les belles rives du Saint-Laurent étaient encore
couvertes de vastes forêts où Algonquins et Iroquois
chassaient les bêtes à fourrure ou guerroyaient entre
eux. Aujourd'hui, Dieu en soit loué, la plupart des
Algonquins étaient chrétiens, mais nombre d'entre
eux continuaient à se perdre par ivrognerie, car en

dépit du gouverneur qui le leur avait interdit, et des jésuites qui les excommuniaient, les colons continuaient à échanger avec les Indiens de l'eau-de-vie contre des peaux. Le commerce des fourrures enrichissait un homme en peu de temps, mais il pouvait aussi causer sa perte: de jeunes gentilshommes, que le Roy avait envoyés en Nouvelle-France pour y être seigneurs, abandonnaient leur charge et leur domaine pour devenir des coureurs de bois sans foi ni loi, perpétuellement en quête de renards, d'hermines et de castors.

Après le repas, des comédiens de passage représentèrent une pantomime accompagnée de musique. Couronnés de grandes plumes jaunes, ils figuraient des Indiens à la chasse au loup, ce que le père Merri approuva en souriant. Ensuite, Marie dansa le menuet avec un jeune officier qui allait bientôt se joindre au régiment de Carignan-Salières. Lorsque l'horloge de la cathédrale sonna dix coups, M. de Coëtquen souhaita à Catherine et à Marie bonne chance dans le Nouveau Monde, les invités burent à la santé du Roy, et la soirée se termina.

Dans la chaise à porteurs qui les ramenait à l'hôtel Pontorson, Catherine, redevenue spontanée et gaie comme autrefois, bavarda avec feu de tout ce qui leur était arrivé. Marie lui pressa la main. En riant tout bas, elle se disait qu'il serait étrange de penser aux splendeurs de cette soirée lorsqu'elles seraient femmes de colons au pays des Algonquins et des coureurs de bois.

L'heure du départ approchait, et marraine Angélique emplissait leurs journées d'emplettes et de visites d'adieux. Il n'y eut bientôt plus une seule famille de bourgeois où les Filles du Roy n'eussent été reçues et comblées d'éloges. Les valets ne les regardaient plus avec effronterie lorsqu'elles entraient dans une maison, et les harengères avaient cessé de ricaner derrière leur dos lorsqu'elles passaient près d'elles dans la rue.

Le dernier jour était un dimanche. Après la messe, la baronne les conduisit en carrosse au couvent de Sainte-Catherine où elles devaient se dire adieu. Marraine Angélique était en vêtements de voyage, et décidée à partir pour Jagu avant le soir.

La fièvre qui précède les départs faisait rage aussi chez les ursulines. Elles couraient d'une cellule à l'autre, apportant des babioles dont elles voulaient faire cadeau aux voyageuses, tandis que mère Thérèse devait à chaque instant sécher ses yeux mouillés de larmes. C'était pour elle un cuisant chagrin que de se séparer de quatre de ses filles, et la longue course en mer qu'elles allaient affronter l'emplissait de terreur. Mais moins que le voyage à Dieppe. Car leurs voitures devaient passer par des villes où elles ne trouveraient pas de couvent qui pût les loger pour la nuit, et par des forêts profondes où les bandits se déchaînaient comme les loups.

Marraine Angélique rassura la prieure: M. de Coëtquen lui avait promis que deux gardes armés suivraient les voyageuses jusqu'au navire. Ni les ursulines ni les Filles du Roy ne risquaient rien en pareille compagnie.

Puis vint l'instant solennel où d'abord toutes les sœurs, puis ensuite toutes les pensionnaires, vinrent embrasser Catherine et Marie une dernière fois. Le plus déchirant fut de dire adieu à Madeleine et à Sylvie. La plus jeune, tout éplorée, dit tout bas à l'oreille de Marie qu'elle aurait bien préféré s'en aller au Canada pour y épouser un paysan, plutôt que de se faire nonne dans cet affreux couvent. Mais les Saint-Modez étaient sans doute de trop bonne noblesse pour laisser leurs filles suivre deux roturières orphelines jusqu'en Nouvelle-France.

«J'ai fait de mon mieux pour vous», leur dit marraine Angélique en leur donnant à chacune, en guise de présent d'adieu, dix livres d'or dans un coffret. Il y avait aussi, dans celui de Catherine, une croix d'argent et d'ébène, dernier cadeau de la marraine à sa filleule. Puis la baronne leur donna sa bénédiction et sortit.

Elles étaient encore à la fenêtre à regarder le carrosse s'éloigner lorsque le père Saint-Efflam entra au parloir. Sortant un sachet de toile d'une poche de son froc, il mit son cadeau d'adieu entre les mains de Marie; car, bien qu'il fût pour les deux sœurs, c'était à elle qu'il le confiait.

Marie se hâta de tirer l'objet du sac. Comme elle l'avait deviné au premier coup d'œil, c'était un livre. Le chef-d'œuvre de son père, les *Essais* de Michel Eyquem de Montaigne en petit romain sur papier fin!

La marraine de Catherine en avait fait cadeau à la bibliothèque du couvent lorsque ses filles y étaient devenues pensionnaires, expliqua le vieux prêtre. Elle avait dit que sa famille l'avait reçu de maître Carduner, mais qu'il était bien trop philosophique pour intéresser qui que ce soit au château de Jagu.

Le père Saint-Efflam lui sourit avec bonhomie, comme lorsqu'ils traduisaient ensemble les *Relations* des jésuites et que Marie trouvait la première le mot juste. La maison était bien assez pleine de livres philosophiques, ajouta-t-il. D'ailleurs, celui-ci contenait trop de pensers nouveaux pour convenir à un vieux couvent d'ursulines. Il serait mieux à sa place dans le Nouveau Monde, où Catherine et Marie allaient bientôt prendre racine.

En rentrant en ville, le soir, Catherine se remémorait avec des transports d'allégresse tout ce qui leur était arrivé depuis qu'elles avaient quitté l'hôpital. Ce qui la réjouissait le plus était que maître Rivière, l'horloger qui présidait les confréries, avait demandé à les rencontrer en présence du notaire pour leur présenter les excuses des artisans: les bons bourgeois de Saint-Malo auraient dû empêcher de méchantes rumeurs de nuire aux filles d'un maître artisan défunt. Et, pour faire preuve de leur contrition, ils s'étaient mis d'accord pour offrir à Catherine et à Marie un cadeau de mariage. C'est ainsi qu'il avait posé devant elles deux jolies montres-horloges en cuivre et bois de noyer qui firent pâlir d'envie Mme Pontorson.

Marraine Angélique leur avait donné des vêtements et des souliers pour toutes les saisons, et les Pontorson, deux belles couvertures en peau de mouton. À leur arrivée à Québec, les prétendants n'allaient pas leur manquer, car les sœurs Carduner étaient tout bonnement devenues de bons partis!

Marie se mit à rire en serrant le livre sur son cœur.

CHAPITRE 3

Le voyage à Dieppe

«Que Dieu vous protège sur la terre et sur la mer», dit maître Pontorson en les bénissant du signe de la croix. Puis il se secoua comme s'il avait froid et rentra dans la maison. La porte se referma avec un bruit mat de ciseaux coupant du papier.

Les sœurs Carduner attendaient dans la rue l'arrivée du chariot de Sainte-Catherine. C'était encore l'aurore, et pourtant il y avait foule devant la porte de Dinan: des débardeurs en route vers les cales, des paysannes avec leurs pots à lait, des artisans en sarrau de travail et des galopins aux pieds nus. Ils s'arrêtaient en demi-cercle, à distance, pour dévorer des yeux les deux filles en vêtements de voyage, assises sur leur malle, qui regardaient les pavés d'un air contraint. Au-dessus des toits, les mouettes criaient avec la voix railleuse de Manon Tellier.

Il ne servait à rien d'avoir reçu un certificat du tribunal et la bénédiction des personnes haut placées, se dit Marie, quand les gens *voulaient* croire qu'il n'y avait que des vauriens et des ribaudes qui partaient pour le Canada.

Si au moins ils avaient pu voir que quatre ursulines allaient, elles aussi, être du voyage! Mais la voiture fermée, où avaient pris place sœur Isabelle, sœur

Agnès, sœur Claude la novice et leur propre tante Marguerite, s'était mise en route sans faire ce détour.

Soudain, toutes les têtes se tournèrent vers la porte de la ville, où venait d'apparaître un chariot qui s'arrêta devant l'hôtel Pontorson. La vue du garde armé qui était assis à côté du cocher sembla d'abord inspirer le respect à la foule incrédule. Mais bientôt un rire éclata, et il grossit en force et en insolence tandis que Catherine et Marie hissaient leur malle dans le chariot et y montaient à leur tour. On aurait dit que tout Saint-Malo se tordait de rire derrière leur dos. Les quolibets les poursuivirent jusqu'à leur sortie de la ville: «Ces filles-là sont redoutables, sergent! Prends bien garde à ton mousquet!»

Ce n'est que lorsqu'elles furent sur la route de Normandie que Marie osa lever la tête pour regarder le soldat qui, autant qu'elles, avait été l'objet des railleries. Mais le large dos revêtu de drap brun, sous le haut chapeau de feutre, ne lui révéla rien de ce que l'homme pensait des filles dont on lui avait confié la garde.

La journée avança, et il se mit à faire chaud. Le soleil de juillet faisait briller la poussière du chemin comme du marbre blanc. La route suivait la côte; la mer était basse et les bancs de sable mouillé s'étendaient comme indéfiniment autour du Mont-Saint-Michel. Çà et là scintillaient des mares qui donnaient envie d'un rapide bain de pieds, mais, comme le dit le cocher, il leur fallait poursuivre afin de rattraper la voiture des maîtres.

C'était un vieil homme aux yeux clignotants et au sourire édenté. À tout instant, il se retournait vers Catherine et Marie pour leur dire le nom d'une église à l'horizon, celui du village où on allait changer les chevaux, ou de la ville qui, ce soir-là, était leur but. Chaque fois, il leur demandait de regarder si les bagages étaient bien attachés, car quantité de livres précieux, de pièces d'étoffe, de vaisselle et d'autres objets de prix reposaient dans les coffres que les ursulines emportaient à Québec.

Ce n'était pas la première fois que le vieux cocher conduisait, à Nantes ou à Dieppe, des gens et des marchandises aux navires en partance pour l'Amérique. Dans sa jeunesse, il avait même été aux gages de la Compagnie en transportant des bottes de foin aux bateaux qui ravitaillaient les colons en chevaux et autres bestiaux. Car si les forêts canadiennes regorgeaient de gibier et de bêtes à fourrure précieuse, il ne se trouvait là-bas aucun animal utile qui ne fût introduit d'Europe. À vrai dire, le pays n'aurait pas valu grand-chose sans l'aide des marchands français: sans doute les colons avaient-ils de quoi se nourrir en abondance, mais tout ce qui rend la vie agréable, tel que vêtements, vin et eau-de-vie, devait être importé de France.

Comme la peinture que le cocher faisait du Canada était différente de ce qu'elle avait lu dans les *Relations des jésuites*, se dit Marie, soudain prise d'inquiétude à la pensée du monde inconnu qui l'attendait de l'autre côté de l'océan.

Lorsqu'ils arrivèrent à Saint-Hilaire, les lampes étaient déjà allumées dans les maisons en colombage qui entouraient la place du marché. Les deux hommes laissèrent Catherine et Marie à la porte du couvent des clarisses et continuèrent jusqu'à l'auberge. Une nonne vêtue de bure brune les accueillit en chuchotant que leurs maîtresses chantaient vêpres à la chapelle. Puis elle les conduisit tout droit à la cuisine, où elles allaient aider sœur Marguerite à préparer leur repas du soir.

Une religieuse en habit noir était debout devant l'âtre. Lorsqu'elle tourna vers elles son visage sévère, Catherine éclata en sanglots, et les yeux de Marie se mouillèrent de larmes. Comme tante Marguerite avait vieilli depuis ce jour d'avent, huit mois plus tôt, où elles avaient quitté le couvent pour le château de Jagu! Ses joues étaient devenues grises, et l'ombre violette qui les bordait rendait ses yeux ternes et vides. Quand elle sourit, Marie vit qu'elle avait perdu trois dents.

«Tante!» s'écria Catherine effrayée en voulant se jeter dans ses bras. La clarisse, fronçant les sourcils, mit un doigt sur ses lèvres. Dans leur couvent, on ne pouvait parler tandis que les sœurs étaient à la chapelle.

L'une après l'autre, Catherine et Marie s'avancèrent en silence pour baiser la main de leur tante, car pareil geste de respect était permis chez les clarisses. Puis elles se mirent à préparer le repas, et ce fut soudain comme si elles étaient à nouveau dans la cuisine de l'Imprimerie, en train de faire à manger au maître, aux compagnons et aux apprentis.

La nuit, dans le dortoir des voyageuses, Marie, que le frottement de la couverture de feutre contre son menton tenait éveillée sur sa paillasse, se remémora l'auberge de roulage de Saint-Brieuc, en ce temps où son père vivait encore et où ils étaient tous les quatre en route vers les fastes enjôleurs du château de Jagu.

Tout ce qui restait de ces jours de bonheur était les *Essais* de Michel de Montaigne. Dès le lendemain, au lieu de regarder la route et d'écouter les histoires du cocher, elle allait se donner tout entière à la lecture du livre que son père, autrefois, avait imprimé sur papier fin pour se faire accepter comme maître dans la confrérie des imprimeurs.

Le message qu'il lui envoyait de l'au-delà.

«Dernièrement que je me retirai chez moi, délibéré autant que je pourrais, à ne me mêler d'autre chose que de passer en repos et à part ce peu qui me reste de vie, il me semblait ne pouvoir faire plus grande faveur à mon esprit, que de le laisser en pleine oisiveté, s'entretenir soi-même et s'arrêter et rasseoir en soi: ce que j'espérais qu'il peut meshui faire plus aisément, devenu avec le temps plus pesant et plus mûr. Mais je trouve que, au rebours, faisant le cheval échappé, il se donne cent fois plus d'affaire à soi-même, qu'il n'en prenait pour autrui; et m'enfante tant de chimères et monstres fantasques les uns sur les autres, sans ordre et sans propos, que pour en contempler à son aise l'ineptie et l'étrangeté, j'ai commencé de les mettre en rolle, espérant avec le temps lui en faire honte à lui-même.»

Le soleil, à travers le feuillage, jetait sur la page du livre des taches de lumière qui étourdissaient Marie au point qu'elle dut s'arrêter de lire. Les voyageurs pénétraient dans une forêt, la voiture fermée en tête, le chariot tout de suite après, et les deux gardes se tenaient droits sur leur siège, l'œil aux aguets et le canon de leur mousquet dressé vers la cime des arbres.

Des brigands! pensa Marie en tendant le cou pour chercher à voir l'intérieur du bois. Son cœur battait, mais plus d'émoi que de peur.

«Baissez-vous!» cria le soldat. C'était la première fois qu'il s'adressait à ses passagères, et cela d'une voix si bourrue que Marie en rougit. Elle s'accroupit au fond du chariot auprès de Catherine qui s'y tenait déjà, recroquevillée et tremblante.

«Vois-tu quelque chose?» cria le soldat à son camarade qui gardait la voiture fermée. Toute la forêt frémit sous l'effet de l'écho lorsque l'autre répondit que tout, devant eux, semblait calme, mais qu'il valait mieux ouvrir l'œil jusqu'au sommet de la côte.

La route montait en larges boucles entre des bouquets de chênes et d'ormeaux qui poussaient au flanc de la colline escarpée. L'air était chaud et immobile, et les oiseaux, silencieux. La vapeur montait des flancs des chevaux dont les sabots glissaient dans le sable meuble. Leur âcre odeur se mêlant à celle des feuilles sèches écœurait Marie en même temps qu'elle éveillait en elle une étrange agitation, comme si quelque chose de trouble, au fond d'elle, attendait avidement le danger. À genoux près d'elle, Catherine murmurait son chapelet avec ferveur.

«*Sancta María, Mater Dei, ora pro nobis peccatóribus, nunc et in hora mortis nostræ. Amen*», répondit la bouche de Marie, tandis que ses pensées volaient entre les arbres comme des palombes, attirant les oiseaux de proie hors de leur cache. Qui étaient ces brigands, à quoi ressemblaient-ils, que cherchaient-ils, se demandait-elle en secret tandis que ses lèvres priaient Notre-Dame de la protéger d'eux. L'émoi brûlait comme une braise entre ses cuisses, envoyant des frissons de douceur dans tout son corps.

«Enfin au sommet!, s'écria le cocher en riant. Venez voir, mes filles.»

Marie se redressa. En même temps que la peur, l'étrange chaleur l'avait quittée sans laisser la moindre trace. Tout ce qui restait de sa crainte des brigands était un peu de poussière qu'elle dut détacher de sa robe, là où elle s'était agenouillée au fond du chariot. Inspirant profondément, elle sentit une odeur fraîche de bois de pin et de rivière, qui lui rappela le château de Jagu et le couvent.

Une rivière coulait, verte et miroitante, au creux de la vallée qui s'ouvrait à leurs pieds. C'était l'Orne, qu'elles allaient traverser au pont d'Ouilly.

Dans la voiture fermée, les ursulines se mirent à chanter un cantique d'action de grâces, Catherine et Marie se joignirent à elles, et bientôt le crissement du métal frottant le métal se mêla aux voix féminines, tandis que les freins mordaient les huit roues.

À Ouilly, on s'arrêta pour abreuver les chevaux et pour prendre un léger repas. Sœur Isabelle, sœur Agnès et la novice avaient les joues roses et parlaient avec flamme du péril qu'elles venaient de courir. Seule tante Marguerite était calme comme à son ordinaire, mais ses yeux pleins d'ombre évitaient le regard des jeunes filles. La tante et les nièces n'avaient pas le droit en effet de parler ensemble en présence des ursulines.

De l'autre côté de la rivière, la côte était très raide, mais comme il n'y avait plus de brigands dans la forêt, les passagères reçurent l'ordre de descendre du chariot pour pousser à la roue.

Elles se mirent à l'ouvrage en riant. Alors, la jeune sœur Claude se pencha à la portière de la voiture pour les encourager de ses cris joyeux, comme si elle était encore une pensionnaire à la tête frivole. Ses aînées étaient si soulagées d'avoir échappé au danger qu'elles la laissèrent oublier sa dignité et s'amuser avec ses compagnes de voyage.

La journée s'achevait, et les gardes avaient remis leurs armes sous le siège du cocher. À une lieue du couvent de Noron, où elles devaient s'arrêter pour la nuit, trois hommes en guenilles s'élancèrent d'une masure au bord de la route pour se jeter sur la voiture fermée des ursulines. Deux d'entre eux firent tomber de leur siège le cocher et le soldat, tandis que le troisième se déchaînait sur la portière fermée.

Le chariot étant vingt toises derrière, Marie vit tout cela à distance: les deux brigands en haillons qui retenaient les hommes à terre, le troisième qui parvenait à forcer la portière, et tante Marguerite qui se débattait en hurlant tandis qu'il la tirait de la voiture.

Un dos vêtu de brun se baissa et se releva, rapide comme la foudre, un éclair brilla devant les yeux de Marie, le vacarme d'une commotion lui rompit les oreilles et, soudain, le vaurien qui s'en était pris à tante Marguerite se tordit de douleur dans la poussière de la route, pendant que les deux autres, qui avaient pris leurs jambes à leur cou, étaient rattrapés par le cocher et le soldat. Et toute l'affaire se termina aussi vite qu'elle avait commencé.

C'étaient de bien misérables brigands qui, attachés au chariot, se laissaient traîner chez les gendarmes. Ils n'avaient point d'armes, allaient pieds nus avec des trous dans leurs chausses, leurs visages étaient noirs de crasse et d'écrouelles, et leur chef saignait de sa blessure au bras. Lorsque le plus âgé des soldats leur demanda leurs noms, ils répondirent dans un patois étrange et rude dont Marie ne saisit qu'un mot: «Faim, faim», qu'ils n'arrêtèrent pas de ressasser jusqu'à la ville.

Ils étaient trois serfs simples d'esprit qui dépendaient du couvent, expliqua le capitaine des gendarmes. Sans doute avaient-ils tant entendu parler des brigands de la forêt de Condé qu'ils avaient voulu imiter leur exemple. Mais la corde allait vite et bien mettre fin à leur folie, et encore beau que leurs nobles victimes en fussent quittes pour la peur!

Le soir, tante Marguerite était encore si bouleversée qu'elle ne put manger miette. Marie, elle aussi, eut peine à avaler le pâté d'anguille, car elle avait encore aux oreilles les «Faim, faim», gémissement d'une voix rouillée qui l'accusait sans appel.

La route traversait des prairies plates où des vaches rousse et blanche paissaient sous des arbres lourds de fruits encore verts, et le temps était toujours chaud et beau. Marie, assise à l'ombre d'un tonneau, lisait çà et là dans les *Essais* de Montaigne. C'était un livre singulier où l'on pouvait papillonner d'un chapitre à l'autre comme une abeille dans un champ de trèfle, et cependant trouver nourriture à ses pensées et à ses rêves.

De temps en temps, Catherine lui demandait le livre, mais elle s'en lassait vite, car il ne ressemblait à aucun autre qu'elle ait jamais ouvert: Montaigne ne racontait pas d'histoires, il ne commentait pas les Saintes

Écritures, ni ne traitait sur le mode édifiant quelque question morale, il étudiait seulement ses pensées et s'en émerveillait. Il semblait même qu'il doutât de choses qui se trouvaient dans d'autres livres et que tous tenaient pour vraies, si bien qu'elle se demandait avec crainte s'il avait vraiment été un bon catholique.

Cela ne faisait pas de doute, protestait Marie. Autrement, il n'aurait pas été le maire de Bordeaux! D'ailleurs, son livre n'avait jamais été mis à l'Index par l'Église, mais, bien au contraire, sans cesse réimprimé et lu par de bons catholiques dans toute la France.

Les entendant disputer ainsi, le cocher et le soldat jetaient des regards désorientés à ces deux filles de l'hôpital qui parlaient comme des demoiselles élevées dans un couvent. Les livres n'étaient pas leur fort; pouvant à peine écrire leur nom et déchiffrer le catéchisme, ils ne concevaient pas qu'on pût trouver profit ou plaisir à suivre des yeux des lettres noires sur des feuilles de papier rassemblées en pile, surtout lorsqu'on n'était qu'une pauvre fille en route vers une petite ferme au pays des Indiens.

Souvent, les deux hommes parlaient de ce mystérieux pays au-delà de l'océan. Alors, il arrivait que Marie posât son livre sur ses genoux pour les écouter. Avant de quitter Saint-Malo, les deux soldats étaient décidés à suivre le régiment de Carignan-Salières au Canada, mais, depuis qu'il était en route, celui qui avait la garde du chariot se laissait gagner par le doute. Le service était long et mal famé, car les soldats vivaient, séparés des autres Français, dans des forts où il n'y avait ni femmes ni estaminets, et, de plus, ils étaient soumis sans cesse aux sanglantes attaques des Iroquois.

Quand un soldat libéré avait enfin la permission de défricher un bout de forêt pour s'établir fermier, il lui fallait encore faire des courbettes à un seigneur, lequel, non content de lui imposer force corvées, avait le droit d'exiger de lui un impôt aussi lourd qu'en ancienne France. Aucun colon n'arrivait à se tirer d'infortune sans, en même temps, tenir un cabaret. Mais voilà que Son Éminence Mgr de Laval, le nouvel évêque, venait de se soumettre à la loi des jésuites, en interdisant aux caba-retiers de vendre de l'eau-de-vie aux Indiens; mais à qui donc pouvait-on bien en vendre, si ce n'était à eux?

De l'avis du cocher, il n'y avait pas lieu d'être sur-pris que nombre de colons déçus revinssent en France au bout de cinq ou six ans d'un pareil esclavage. Il en avait rencontré plusieurs à Nantes ou à Dieppe, et c'est pourquoi il mettait son jeune compagnon de voyage en garde contre les belles promesses des officiers. L'autre soldat, au contraire, écoutait son cocher qui l'encourageait à s'engager dans le régiment de Nouvelle-France. Parvenu à mi-chemin, il se deman-dait s'il serait bientôt contraint à s'embarquer sans son ami et frère d'armes.

Pour nous, le doute n'existe pas, se dit Marie en regar-dant sa sœur qui sommeillait au soleil. À celle qui s'est fait accepter comme Fille du Roy et a signé son contrat, il n'est pas possible de revenir en arrière. Dans trois mois, nous serons femmes de fermier, mariées à des hommes que nous ne connaissons pas dans un pays étranger, se répétait-elle, et c'était si inconcevable qu'elle ne savait pas si elle devait en pleurer ou en rire aux éclats.

Rouen était la prochaine ville où elles devaient s'arrêter pour la nuit. Elles parvinrent au bac à la fin du sixième jour, alors que le soleil bas faisait des ricochets de cuivre et d'or sur la Seine et allumait toutes les fenê-tres le long du quai.

Marie n'avait jamais vu ville aussi grande et belle. Il y avait dans le port autant de navires que dans celui de sa ville natale, mais la plupart d'entre eux étaient de gros vaisseaux ventrus comme il n'en avait jamais accosté dans le port atlantique de Saint-Malo. Des matelots déambulaient sur les ponts en s'appelant dans des langues inconnues, et les débardeurs transportaient des ballots et des tonneaux du quai aux navires ou des navires au quai en un flot incessant. Il y avait tellement à regarder que Marie se prit à espérer que le bac n'arriverait jamais.

Tante Marguerite, se trouvant tout à coup à côté du chariot, leur ordonna l'ordre d'en descendre.

«Hâtez-vous! Sœur Isabelle et sœur Agnès veulent aller chanter vêpres en la cathédrale. Suis-nous, dit-elle au soldat, les cochers restent ici garder les voitures.»

Tante Marguerite en tête, et les deux soldats fermant la marche, la petite troupe se mit en branle à travers les rues étroites de la ville. Il y avait foule de gens partout: des hommes se pressaient à la porte des auberges ou se glissaient dans les ruelles obscures où des femmes sans coiffe se tenaient devant la porte éclairée de quelque bordel.

Catherine et Marie n'étaient pas intimidées par l'agitation coupable qui les entourait: elles avaient connu sa pareille à Saint-Malo, lorsque leur père les emmenait dans les rues voir la fête, le soir du Mardi gras. Par contre, les ursulines, qui avaient passé la plus grande part de leur vie entre les murs d'un couvent, posaient des regards emplis d'horreur sur Sodome et Gomorrhe en regrettant d'avoir quitté la tranquillité de leur voiture.

Par bonheur, la rue se fit plus large et aboutit à une longue place bordée de hautes maisons en colombage, sous un ciel de couchant sans nuages. La cathédrale se dressait à l'autre bout; on voyait les rouges et les bleus d'un vitrail scintiller au-dessus du portail.

«C'est là, devant ce portail, que les Anglais ont brûlé Jeanne d'Arc», dit sœur Agnès avec vénération en entrant dans l'église.

Que de gens il y avait à Rouen! Même pour de simples vêpres, l'église était pleine d'hommes et de femmes dont la piété n'était pas moins vive que celle des Malouins. «Et moi qui, au premier regard, avais cru qu'il n'y avait dans cette ville que des ivrognes et des débauchés», dit sœur Isabelle en riant tandis qu'elles retournaient au bac.

Les trois ursulines étaient si pleines de gaieté qu'elles voulurent la faire partager à Catherine et à Marie. Elles les poussèrent en pouffant de rire dans la voiture, à côté de tante Marguerite. Jusqu'à la porte du couvent où elles devaient passer la nuit, elles s'amusèrent, toutes les six, comme si elles eussent été une troupe de pensionnaires revenant d'une promenade.

Il y avait six lieues de Rouen à Dieppe. C'était la distance la plus longue de tout le voyage, aussi durent-elles partir avant l'aube et la messe.

Pendant la nuit, il avait plu, pour la première fois depuis bien longtemps, et l'air matinal avait un goût amer et frais d'automne, comme le bois de Jagu en septembre. Catherine et Marie, serrées l'une contre l'autre pour se tenir au chaud, s'endormirent tandis que le soleil se levait.

Cette partie de la Normandie paraissait plus aride que celle qu'elles avaient traversée de Saint-Hilaire à Rouen; les villages aux maisons de pierre blanche étaient éloignés les uns des autres et ressemblaient à des forteresses avec leurs hauts murs droits, sans ouvertures sur la route. Ici, il n'y avait pas de haies verdoyantes entre les champs comme en Bretagne, et les rares arbres que l'on voyait étaient groupés en bosquets dispersés dans la plaine.

Dans cette région, les tuniques rouges avaient sévi jusqu'à ce que Jeanne d'Arc les boutât hors de France, raconta le cocher. Alors, on pendit tous les soldats qui ne s'étaient pas sauvés à temps aux branches des grands chênes qui poussaient çà et là, et, pendant qu'on leur passait la corde au cou, ils juraient si fort dans leur jargon, «*goddam! goddam!*», qu'on donnait encore à leur potence le nom de «chênes à godons».

Le soldat montra du doigt un grand arbre en criant: «Là!» Le cocher fit claquer son fouet, et un vol de corbeaux s'éleva de la frondaison vert sombre. Catherine poussa un cri et se signa, faisant éclater de rire les deux hommes. Mais, lorsque le chariot passa à côté du chêne, Marie vit clairement, à travers le feuillage, les pieds noirs d'un pendu; et sur le siège du cocher, les deux hommes se turent brusquement.

Marie avait souvent vu des suppliciés se balancer à la potence de la ville, pour l'édification des vivants, et son séjour à l'hôpital l'avait accoutumée au spectacle de la mort. Toutefois, la vue de ce corps humain pourrissant dans l'épaisse frondaison d'un chêne l'emplit de crainte et de dégoût.

Les hommes, assagis, s'étaient mis à parler à voix basse: devaient-ils, comme le conseillait le soldat, aller prévenir le gendarme le plus proche que le chêne à godons au sud de Saint-Victor avait illicitement servi de potence? Ou bien valait-il mieux n'en rien faire, comme le cocher prétendait qu'il était le plus sage? Car, lorsqu'on était tombé sous la griffe d'un gendarme, on ne savait jamais quand on en sortirait. Catherine et Marie se tenaient les mains en souhaitant s'éloigner au plus vite de cet endroit d'horreur.

Dans l'après-midi, les voitures parvinrent au sommet d'une côte qui dominait la vallée de la Béthune. Il y avait une douceur de l'air, et une odeur que Marie reconnut, comprenant soudain combien elle lui avait manqué depuis le départ: l'odeur de la mer! Elles n'étaient plus bien loin de Dieppe. Sur la route blanche qui suivait le fleuve, un long cortège avançait avec une lenteur résolue. La distance était trop grande pour qu'on pût reconnaître, à leurs vêtements, quelle sorte de gens c'étaient, mais on entendait par bouffées des voix de femmes qui chantaient.

«Les Filles du Roy qui arrivent de Paris!» s'écria le cocher du chariot; l'autre cocher sauta à bas de son siège pour ouvrir la portière de la voiture. Tante Marguerite en descendit et vint rejoindre Catherine et Marie. Elle avait les larmes aux yeux.

C'étaient donc là les filles que ses nièces allaient suivre en Nouvelle-France. Les malheureuses avaient dû faire tout le chemin à pied, parce qu'il ne s'était pas trouvé de baronne pour payer leur voyage à Dieppe.

Marie baissa les yeux. Elle savait cela, mais avait honte que tante Marguerite l'eût dit en présence des cochers et des soldats. Elle aurait bien préféré faire la dernière lieue à pied, plutôt que de rester assise entre des caisses et des tonneaux qui l'écrasaient, derrière deux hommes prêts à faire d'elles des gorges chaudes dans le premier cabaret venu, en racontant que les sœurs Carduner étaient deux putains de Saint-Malo auxquelles les Saint-Modez, pris de pitié, avaient acheté une nouvelle vie dans la colonie de M. Colbert.

Jusqu'à la porte de la ville, Marie demanda pardon à Dieu de ces pensées rebelles, mais le démon d'ingratitude qui les lui avait soufflées continua à gronder tout bas dans le fond de son cœur.

Saurait-elle jamais se délivrer de ce méchant compagnon de route, et apprendre enfin à se soumettre à la volonté de Dieu, pensa-t-elle en regardant le chariot continuer son chemin vers le port. Pourquoi Catherine n'était-elle pas rebelle comme elle, pourquoi savait-elle ainsi pleurer et prier la Sainte Vierge lorsque le sort lui était contraire? Pourquoi Dieu avait-il fait d'elle l'héritière de son père en lui donnant le cœur opiniâtre d'un garçon? Était-ce pour la punir de ne pas savoir accepter son destin de femme que Dieu ne lui avait pas encore permis de saigner chaque mois, comme il est naturel à une fille de quinze ans?

Assises sur le talus à la porte de la ville, les deux sœurs attendaient les Filles du Roy, chacune gardant pour elle-même ses pensées et la cause de ses larmes.

Malgré tous leurs efforts, Catherine et Marie ne purent se joindre à la troupe des Filles du Roy; ayant fait route ensemble cinq semaines, elles étaient aussi unies et confondues que les abeilles d'une ruche. Elles passèrent l'une après l'autre devant les deux sœurs sans leur jeter un regard. À la fin, Catherine et Marie durent suivre les deux charrettes qui transportaient leur maigre bagage.

Elles n'emportaient pas grand-chose au Canada, ces vingt-quatre filles, moins que les ursulines n'allaient offrir à leur couvent, elles qui pourtant avaient re-noncé au monde et fait vœu de pauvreté. Qui sait s'il y a des livres dans ces coffres, se dit Marie en serrant les *Essais* de Montaigne sur son cœur. Aujourd'hui, elle n'avait pas eu le temps de lire et en ressentait un vague malaise, comme si elle avait failli à un devoir ou sauté un repas.

À la porte du couvent qui devait les héberger pour la dernière nuit, une petite femme vêtue de vert accueillait les jeunes filles et les faisait entrer après avoir collationné leur nom sur une liste. Elle était sou-riante et ronde comme une pomme et s'appelait Mme Bourdon.

«Les sœurs Carduncr de Saint-Malo!» s'écria-t-elle en prenant les mains de Catherine dans les siennes. «Que je suis heureuse que vous nous ayez rejointes! Le ministère fait grand cas de vous, entrez, entrez, soyez les bien-venues! Il est rare que nos filles aient le droit d'aller rejoindre le port de départ sans passer par la Salpêtrière, à Paris, mais soyez les bienvenues, Catherine et Marie, et prenez votre place dans notre famille!»

De toute sa vie, Marie n'avait jamais entendu une dame du Tiers État parler d'un ton aussi assuré et donner des ordres avec autant d'aplomb. La vue de cette Dame Pomme lui réchauffait le cœur et lui donnait envie de rire.

Les autres filles, habituées à passer la nuit dans toutes sortes de logis, s'étaient déjà trouvé un lit et une compagne avec qui le partager. Mme Bourdon frappa dans ses mains, et toutes se mirent en cercle autour des nouvelles arrivées. Puis elles se firent la révérence en échangeant leurs noms.

Il y avait, dans le groupe, une autre Catherine, trois Marie et cinq Anne, ce qui les obligeait à se donner un sobriquet pour se distinguer l'une de l'autre: la Petite Anne Magnan avait quinze ans et venait de Paris, la Grande Anne Blain venait aussi de Paris, mais avait cinq ans de plus, Anne Thomas, la Rousse, avait les cheveux couleur de cuivre et venait d'un village des environs de la capitale, Anne Lamarqué, la Pieuse, avait grandi auprès d'un couvent, en Guyenne, et Anne Rousselin, l'Aînée, avait vingt et un ans et était majeure.

Cette dernière était la fille d'un marchand ruiné de Quimper et parlait le breton aussi bien que le français. Dès le premier instant, elle se lia d'amitié avec Catherine et Marie, car être d'un même pays crée un lien indestructible entre gens qui ont quitté pour toujours leur famille et leur passé.

Marie était à la fois le nom de l'aînée des Filles du Roy, une veuve de vingt-huit ans native de Picardie, et de la plus jeune, qui n'avait que huit ans et un visage rond et enfantin avec de grands yeux bleus qui tantôt regardaient le sol ou tantôt cherchaient quelque chose d'invisible à l'horizon. La petite Marie de Beauregard étant née demoiselle, il semblait inconcevable qu'elle pût bientôt devenir l'épouse d'un paysan du Canada.

Toutes ces filles avaient fait connaissance à l'hôpital de la Salpêtrière, à Paris, où les pauvres et les orphelins de l'Île-de-France étaient placés d'office ou allaient chercher refuge.

C'était là que le maire de Quimper avait envoyé Anne Rousselin dès que fut signé son contrat, pour ne pas avoir à supporter les frais d'une indigente qui ne serait jamais plus utile à sa ville. Anne l'Aînée racontait volontiers comment elle avait fait ce grand voyage avec des marchands qui transportaient de la laine ou du blé d'une ville à l'autre en risquant leur vie, face aux brigands sur les routes, ou leur fortune entre les mains d'avides contrôleurs des douanes.

«En pareille compagnie, déclarait Anne Rousselin, une fille doit garder la tête froide et ne jamais se laisser tenter par un logis bien chaud ni un verre de vin au repas du soir, afin de ne point donner à son compagnon de voyage barre sur elle et sa vertu.» Pendant tout le voyage, elle n'avait mangé que du pain sec à la porte des auberges, et dormi par terre chez les servantes, lorsque la patronne ne lui donnait pas la permission de partager la chambre des enfants; aussi l'hôpital lui avait-il semblé le paradis en comparaison!

«Oui, c'est ainsi», s'écria Florimonde Rableau. Elle était allée d'Orléans à la Salpêtrière à pied, car la distance était courte. Mais elle avait pu constater que tous les hommes croient qu'une fille est à prendre, ou même, que Dieu nous pardonne, à vendre, aussitôt qu'elle se trouve seule dehors! Aussi, elle se réjouissait d'aller au Canada pour constater le contraire. Car, bientôt, les Filles du Roy n'auraient même plus besoin de chaperon, elles pourraient dire «non» lorsqu'un homme tenterait de les séduire, elles auraient même le droit de choisir parmi eux à leur guise!

Marie regarda Florimonde. C'était une petite bonne femme au nez retroussé, avec des cheveux noirs et de vilaines dents, qui, bien qu'étant l'une des plus vieilles du groupe, manquait de l'assurance naturelle que donnent la naissance et la beauté. Et pourtant Marie la trouvait plus magnifique qu'une baronne à la voir ainsi brandir le poing et défier l'avenir en riant.

Apparue soudain à la porte, Mme Bourdon frappa dans ses mains, et toutes les Filles du Roy se mirent sur deux rangs comme les demoiselles du couvent. Elles descendirent ainsi jusqu'à une salle au plafond voûté où le repas du soir les attendait sur la longue table: des bols de soupe de poisson fumante qui fit se détourner de dégoût les Parisiennes, peu accoutumées à manger du poisson en dehors du carême et de l'avent. La plupart d'entre elles se contentèrent de ronger leur pain sec en regardant avec horreur les deux nouvelles arrivées avaler des morceaux de poisson et en cracher les arêtes comme deux chats affamés.

Et c'est ainsi que Catherine et Marie furent, dès le premier jour, surnommées les Chats de Saint-Malo par leurs compagnes de voyage.

Les Filles du Roy devaient passer à Dieppe deux jours dont les heures seraient occupées par toutes sortes d'obligations. Mais comme la plupart d'entre elles n'avaient jamais encore vu la mer, on allait d'abord les conduire au port, leur dit Mme Bourdon aussitôt après le repas du matin. Elles se mirent de nouveau en rang deux par deux pour suivre leur guide vêtu de vert le long des ruelles pentues qui menaient à la rade.

Les gens s'écartaient sur leur passage et les dévoraient du regard, mais personne, ici, ne ricanait ni ne murmurait «Putain» derrière leur dos. Ils ne s'y risquent pas en présence de Mme Bourdon, se dit Marie, soulagée. Les mouettes elles-mêmes n'osaient plus se moquer d'elles.

Le port de Dieppe ne ressemblait en rien à celui de leur ville natale. À marée basse, les navires n'étaient pas échoués sur des cales comme à Saint-Malo; amarrés au quai, ils se balançaient sur leur reflet dans l'eau calme de la rade. Les hautes façades des magasins se dressaient au-dessus d'eux comme des falaises; à toutes les ouvertures, on voyait des débardeurs qui actionnaient des poulies ou crochetaient des ballots. Un joyeux vacarme fait de roulements de tonneaux, de grincements de métal, de «holà!» et de chansons de marins s'élevait du port et se mêlait aux cris des oiseaux de mer sous le haut soleil de juillet.

Là était leur bateau, dit Mme Bourdon en désignant du doigt un trois-mâts armé de huit petits canons. Sur le gaillard d'arrière, deux officiers dirigeaient le chargement du navire. «Regarde, c'est notre coffre qu'on emporte à bord», dit Catherine tout bas à Marie.

Tandis que Mme Bourdon et les autres filles continuaient jusqu'au bout de la jetée pour voir la mer, elles reçurent la permission d'aller au couvent des ursulines où tante Marguerite et les trois autres voyageuses les attendaient.

Elles s'en allèrent par la ville, un peu au hasard et sans presser le pas. Après cette longue course à travers la campagne, il était plaisant de sentir sous ses semelles les pavés inégaux d'une ville, se disait Marie en s'emplissant les poumons de l'odeur violente des ruelles. À un carrefour, elle dut tout à coup s'arrêter: une fragrance bien-aimée sortant d'une arrière-cour lui saisit le cœur si fort qu'il en oublia de battre trois coups. Une odeur d'encre et de plomb fondu — il y avait là une imprimerie!

Avant que Catherine n'eût pu dire mot, Marie était dans la boutique et demandait à parler au maître imprimeur.

C'était un homme plutôt jeune, mais déjà chauve, qui s'appelait Marcel Perron et venait de s'établir dans les lieux. Le précédent propriétaire, le vieux maître Sylvestre Lamarre, lui avait vendu tous ses biens pour aller en Nouvelle-France. Il serait sûrement heureux de rencontrer les filles d'un confrère respecté, dont le petit roman était connu de tous les maîtres de leur profession.

Marcel Perron emmena les sœurs Carduner dans son atelier pour leur montrer le marbre et la presse. Elles saluèrent le compagnon et les trois apprentis, et eurent le droit de feuilleter le chef-d'œuvre du maître, une magnifique édition de *L'Imitation de Jésus-Christ* en caractères gothiques. Les odeurs et les bruits lui rappelaient si clairement l'atelier de son père, que Marie se crut revenue à Saint-Malo. Au moment de prendre congé, elle eut le sentiment de tout perdre encore une fois et se mit à pleurer avec une telle force que la maîtresse de la maison, qui était enceinte, descendit de l'appartement avec une tasse d'infusion et de l'eau de mélisse pour la soigner. À l'instant où elles allaient passer la porte, Marcel Perron glissa un livre dans la main de Marie: *Le Roman comique* de Paul Scarron, lut-elle à travers ses larmes, mais elle était encore trop étranglée par les pleurs pour pouvoir remercier aussi civilement qu'elle l'aurait désiré.

Au couvent, tante Marguerite eut à peine le temps de les embrasser, car elle devait retourner au chevet de sœur Claude, la novice, qui avait la fièvre et à qui on était sur le point de faire une saignée. Sœur Isabelle et sœur Agnès ne perdaient toutefois pas courage, assurées que les prières de tout le couvent ne manqueraient pas de la guérir avant le départ. Elles accueillirent elles-mêmes Mme Bourdon et les Filles du Roy quand celles-ci vinrent faire visite aux saintes femmes qui allaient traverser l'océan avec elles.

Mme Bourdon, qui avait déjà traversé l'océan quatre fois, voulait leur faire part de son expérience et, ainsi, les préparer à la vie en mer, qui était bien plus plaisante qu'on n'eût d'abord pu le croire.

Le voyage à bord de la frégate royale *Normandie* durerait deux mois, du premier jour d'août au commencement d'octobre. Les ursulines et leur sœur converse auraient à bord une petite chambre qu'on appelait cabine, expliqua la voyageuse. Les vingt-six Filles du Roy seraient logées dans l'entrepont, où elles dormiraient à quatre dans des cases emplies de paille et bordées de hautes parois, pour les retenir de tomber lorsque les vagues faisaient rouler le navire d'un bord à l'autre. Le matin et le soir, elles prépareraient elles-mêmes leurs repas, qu'elles mangeraient dans leur dortoir. Par beau temps, elles seraient autorisées à monter prendre l'air sur le pont; mais elles devaient s'apprêter à passer la plus grande part du mois de septembre à l'abri dans l'entrepont, car il pouvait y avoir des tempêtes, bien qu'on ne fût encore qu'au début de l'automne.

Bref, on attendait d'elles une conduite civile et décente, et, pour tout dire, digne de vraies Filles du Roy. Le capitaine de la frégate, qui était aussi puissant à bord que le Roy Louis dans son royaume, ne permettait pas à ses passagers d'adresser la parole aux hommes d'équipage, qu'ils fussent matelots ou officiers. Les passagers avaient le droit de parler entre eux, mais Mme Bourdon ne souhaitait pas que ses filles devinssent trop liantes avec les voyageurs du sexe fort.

En route vers le Canada, les Filles du Roy devaient ne pas oublier un seul instant qu'elles se dirigeaient vers un but désigné par Dieu, cette colonie qu'elles allaient peupler pour la faire encore plus belle, et que, toutes, elles avaient été choisies en personne par M. Colbert et le souverain pour accomplir ce noble devoir.

Une nouvelle journée commença, la dernière de leur vie en France. Dans le grand dortoir qui sentait encore le sommeil, les Filles du Roy étaient pleines de recueillement en s'aidant l'une l'autre à nouer leur basquine.

Deux par deux, revêtues de leur meilleure robe, elles se rendirent à pas comptés à la cathédrale où l'évêque en personne célébra la messe et leur donna la bénédiction de l'Église. Dans son long prêche, il compara leur départ d'Europe à la mort, si bien que des femmes dans l'assemblée se mirent à pleurer tout haut, et qu'un frisson d'effroi secoua les vingt-six jeunes filles.

Jamais plus, en ce monde, elles ne reverraient leur ville natale ni leur famille. Telles des nonnes prononçant leurs vœux, elles devaient, elles aussi, mourir au monde pour se consacrer au service de Dieu. Car c'était au service de Dieu qu'elles étaient appelées en Nouvelle-France: en devenant de pieux exemples pour les sauvages, mais surtout, en donnant le jour à de nombreux chrétiens, elles aideraient à combattre le paganisme et à parfaire l'œuvre des missionnaires. Jamais les Filles du Roy ne devraient imiter la coutume impie qu'ont les femmes indigènes d'allaiter leurs petits longtemps après qu'ils eurent appris à marcher et à parler, ce qui rendait le ventre des mères infertile quatre ans durant. En fidèles servantes du Christ, elles devraient au contraire sevrer leurs enfants dès qu'ils seraient en état de se nourrir de bouillie. Car si Dieu avait voulu que les enfants fussent nourris au sein jusqu'à l'âge de trois ans, pourquoi leur aurait-il fait pousser des dents alors qu'ils n'avaient encore que six mois?

En fidèles servantes de Dieu dans le Nouveau Monde, les Filles du Roy devaient aussi combattre le manque de foi et la corruption des mœurs chez les hommes de la colonie. Car non seulement parmi les soldats, mais aussi parmi les jeunes gentilshommes, il y avait des coquins qui préféraient se mettre coureurs de bois et chasser les bêtes à fourrure en compagnie de païens, plutôt que de faire leur devoir sur la terre de leur seigneur. Et là, dans les vastes forêts où ne pouvaient les atteindre ni l'autorité d'un prêtre ni le bras d'un gouverneur, ils se livraient à l'ivrognerie et à la débauche avec les femmes indigènes. Ce n'est qu'en se donnant une épouse capable de les ramener à une vie chrétienne que ces malheureux pourraient sauver leur âme du châtiment éternel.

En Nouvelle-France, les Filles du Roy auraient sans doute à travailler aux champs avec leur mari, et par là même, à jouir d'une plus grande autorité sur leur foyer que n'en ont d'ordinaire les femmes de l'ancienne France. Qu'elles n'allassent point pour cela s'imaginer devenues les égales de leurs maris. Car, de toute éternité, l'homme est la tête de la femme, et elle doit lui obéir, de même qu'il doit, lui, obéir à l'Église, au gouverneur et au Roy. Et tous, hommes et femmes, doivent obéir à Dieu Notre Seigneur, *In nomine Patris et Filii et Spiritus Sancti.*

«*Amen*», répondirent les Filles du Roy d'une voix faible, écrasées qu'elles étaient par les paroles de l'évêque et la tâche dont il les avait chargées.

Dehors, le héraut de la ville les attendait à la tête de quatre sonneurs de trompe qui les conduisirent à la maison du maire, où elles étaient invitées à dîner. Deux officiers du régiment de Carignan-Salières allaient à cheval devant les vingt-six filles en robes de fête, tandis que les gens se pressaient aux fenêtres pour les voir marcher d'un pas digne en suivant la cadence, comme si elles n'avaient, de leur vie, jamais vécu à l'hôpital parmi les ribaudes et les mendiants.

Chez le maire, elles furent reçues, au nom du Roy, par le gouverneur du port, et menées à table par de jeunes officiers qui devaient, eux aussi, partir bientôt pour le Canada. La magnificence du repas les stupéfia toutes; on y servit des mets encore plus nombreux et délicats que chez M. de Coëtquen, à Saint-Malo, sur une table encore plus richement ornée de candélabres et de coupes d'argent remplies de fruits. N'ayant jamais vu de fourchettes ni de cuillers à long manche, et n'étant pas non plus habituées à manger seules dans une assiette, la plupart des filles ouvraient des yeux au moins aussi grands que Marie la première fois qu'elle s'était trouvée à table au château de Jagu.

Plus encore que le repas, ce fut la compagnie des officiers qui transporta d'aise les Filles du Roy, car ils conversèrent avec elles, remplirent de vin leurs verres et les traitèrent en toutes choses comme si elles étaient aussi nobles qu'eux-mêmes. Les yeux brillants, les joues roses, toutes les filles se tenaient fières et droites sur leur siège, et même les plus brunes et les moins belles, comme Florimonde ou Marie, se sentaient transfigurées par l'éclat de leurs grâces féminines.

Tandis qu'elles dînaient, un peintre, debout derrière une pièce de bois montée sur un trépied qui, leur dit-on, s'appelait chevalet, fit d'elles un tableau qu'on allait, dès le lendemain, envoyer au Roy Louis. Sur une tribune, des musiciens invisibles jouaient une musique si suave et si belle que Marie, les larmes aux yeux, saisit la main de sa sœur et la pressa. Mais Catherine y répondit à peine, tout entière occupée à s'entretenir avec un jeune lieutenant qui ressemblait à Simon de Saint-Modez.

En retournant au couvent pour y chercher leurs hardes, et même plus tard, en suivant Mme Bourdon par les rues jusqu'au port, les Filles du Roy restèrent silencieuses et dociles, les unes, parce qu'elles rêvaient encore aux regards d'admiration d'un jeune homme, les autres, parce qu'elles s'efforçaient de fixer dans leur mémoire ce moment de gloire et de joie qui serait le dernier souvenir de leur pays natal.

À bord de la frégate, le capitaine et les officiers les attendaient sur le pont et les accueillirent en donnant la main à chacune, car ils avaient, eux aussi, reçu de M. Colbert l'ordre de faire grand cas des Filles du Roy. Le premier lieutenant les conduisit à ce qu'il appela leur quartier, une chambre au plafond bas où l'on pénétrait par une trappe, et se mit à leur raconter ce que serait leur vie à bord.

C'était à lui que les passagers devaient s'adresser en toute occasion. Si elles avaient à se plaindre de quoi que ce fût, ou s'il leur arrivait de tomber malades, Mme Bourdon devrait aller le quérir, car il savait saigner, panser une plaie ou poser un emplâtre.

Sur un navire, la règle première était l'ordre, car même s'il y avait peu de place, chacun avait le droit d'y avoir la sienne. Ce que l'on craignait le plus à bord était le feu, aussi toute flamme y était interdite, et seul le cuisinier, qu'on appelait le coq, avait droit de faire cuire les repas sur son réchaud à charbon. Tous les jours, on leur servirait une soupe chaude de fèves ou de pois pour leur repas principal, à moins que la mer ne fût trop déchaînée.

On avait déjà mis de la paille et des couvertures dans leurs couchettes, elles n'avaient donc plus qu'à décider entre elles avec qui elles voulaient dormir, et à se coucher dès que tomberait la nuit. Mais, pour l'instant, elles pouvaient le suivre autour du navire pour voir ce qui allait être leur foyer et leur univers jusqu'au début d'octobre.

Elles remontèrent toutes sur le pont, mais quelques-unes seulement suivirent le lieutenant dans sa ronde, gravissant et descendant des échelles tandis qu'il leur expliquait le nom de ce qu'elles voyaient et à quoi cela servait. Ce furent les canons qui surprirent le plus

Marie. Ils étaient si courts que leur gueule dépassait à peine le bordage, et l'on voyait sous leurs affûts de petits tas régulièrement rangés de boulets noirs et luisants.

Il arrivait que les frégates royales en route vers la colonie fussent attaquées par des corsaires anglais, expliqua le premier lieutenant. Marie, qui venait de Saint-Malo, devait bien savoir que les corsaires français leur rendaient volontiers la pareille, et qu'il en était ainsi depuis le siècle dernier, quand Jacques Cartier avait découvert l'embouchure du Saint-Laurent et fondé le premier comptoir français, juste au nord de la colonie anglaise.

À l'ouest, le soleil rouge s'était posé sur le môle, et toutes les maisons autour du port avaient du feu aux fenêtres. Il leur fallait descendre et se trouver une place pour dormir avant qu'il ne fît nuit.

L'eau du bassin, qui murmurait et clapotait à quelques pouces de sa tête, berça Marie jusqu'à ce qu'elle s'endormît.

CHAPITRE 4

Sur la mer

Un carré de bleu au plafond révélait que l'écoutille était ouverte et que le jour se levait. Une cloche sonna à l'arrière, et soudain des claquements de pieds nus firent résonner le pont au dessus de Marie. Se redressant sur la couchette, elle regarda Catherine et Anne l'Aînée qui dormaient encore à côté d'elle. Comme elles avaient passé la plus grande part de la nuit à chuchoter ensemble, elles avaient encore sommeil. Mais cela ne faisait rien.

Aujourd'hui, elles pouvaient dormir aussi longtemps qu'elles en avaient envie, leur avait dit Mme Bourdon, car il ne leur était pas permis de quitter leur quartier pendant que les autres passagers s'embarquaient et que l'équipage appareillait.

Sur les planches du pont au-dessus de sa tête, Marie entendait les pieds nus des marins et le roulement de tonneaux qu'on descendait dans la cale; elle entendit soudain des commandements, puis un tumulte de voix de femmes indiquant l'arrivée de tante Marguerite et des ursulines, et ensuite les voix d'hommes et de femmes qui s'agitaient sur le pont à la recherche de leur cabine. Étaient-ce maître Sylvestre Lamarre et sa famille qui venaient de monter à bord, ou quelque marchand, ou les deux pères jésuites qui allaient les suivre jusqu'à Québec? Elle ne voyait rien de ses compagnons de voyage, si ce n'est une paire de bottes ou le bas d'une soutane noire passant au ras de l'écoutille.

Autour d'elle, les filles commençaient à s'éveiller et à se dresser sur leur couchette. Certaines s'étiraient, d'autres parlaient à l'oreille de leur voisine de lit ou s'esclaffaient tout bas derrière leurs mains, mais aucune n'osait se lever, comme si elles avaient peur que le plancher mouvant ne pût les supporter.

Dehors, il faisait maintenant grand jour, mais la pénombre emplissait encore la grand-salle où, la veille, elles avaient cherché à tâtons leur place dans les huit couchettes. Elles se dressaient comme des stalles de chaque côté de la chambre, quatre par quatre et séparées par des rideaux de toile à voile, de part et d'autre d'une longue table. À part les malles que l'on avait placées au pied des couchettes, tous les meubles étaient cloués au plancher pour résister au mouvement de la mer, leur avait expliqué Mme Bourdon la veille, alors qu'elles se dévêtaient à la maigre lueur d'une lampe à huile de verre et de métal. Elles avaient fait leur prière du soir ensemble, puis Mme Bourdon avait emporté la lampe dans sa petite cabine, à droite de l'échelle.

Il sera impossible de lire ou d'écrire ici, à moins qu'on ne nous laisse accrocher une ou deux lampes au plafond, se dit Marie avec désespoir. Bien que sa couchette fût la plus proche de l'écoutille, elle avait peine à déchiffrer le petit romain des *Essais* de Montaigne. Dans la couchette opposée à la sienne, Marie Mulois se plaignait qu'il fît trop sombre pour lire *Le Roman comique* que Marie lui avait prêté.

Une par une, les filles se risquaient hors de leur couchette pour courir aux latrines, quatre chaises percées adossées au mur, à gauche de l'échelle. Elles restaient quelques minutes derrière le rideau à chuchoter

et à rire, puis elles retournaient en courant à leur couchette pour mettre leur basquine et leur cotte de voyage.

Une vingtaine de filles bavardaient autour de la
grande table quand, soudain, un couvercle claqua sur
l'écoutille, plongeant la chambre dans une obscurité
de tombeau. Vingt filles poussèrent un cri de terreur,
se cherchant dans le noir, trébuchant et s'agrippant
l'une à l'autre. Elles ne savaient plus où elles se trouvaient, elles avaient oublié leur promesse d'être dociles
et raisonnables, elles n'avaient plus qu'une idée en
tête: sortir de cette prison et revoir la lumière!

Et la lumière se fit.

Mme Bourdon venait en effet de sortir de sa cabine,
la petite lampe de verre et de métal haut levée au-
dessus de la tête; en l'accrochant au plafond, elle
assura à toutes ses filles qu'il ne leur arriverait jamais
plus de se trouver enfermées dans le noir.

Ce fut dans le cercle étroit, mais rassurant, de cette
lumière rougeâtre que les filles purent enfin dépeindre
leur terreur. «C'était comme de se réveiller en enfer»,
disaient les unes en sanglotant, tandis que d'autres bre-
douillaient en claquant des dents: «C'était comme si
j'étais morte!» Mais plus fort que toutes les autres, la
petite Marie de Beauregard hurlait en se tordant sur le
plancher comme si elle tombait du haut mal: «Pas dans
la cave! Ne m'enfermez pas dans la cave!» Ce n'est que
quand Marie Charié l'eut prise sur ses genoux qu'elle
s'arrêta de crier pour se mettre à gémir comme chiot
blessé.

Marie observa l'incident de sa couchette, qu'elle
n'avait pas encore quittée lorsqu'on avait fermé l'écoutille. Elle avait été surprise, mais n'avait pas, sur le
moment, éprouvé de terreur. Et ce qu'elle ressentait à
présent était de la colère, une rage si violente qu'elle en
avait mal aux épaules. Son ire ne s'adressait pas seulement au matelot étourdi qui avait fermé l'écoutille, mais

aussi au premier lieutenant qui ne leur permettait pas d'avoir de lampe dans leur quartier, et plus encore aux méchantes gens qui trouvaient bon d'effrayer la petite Marie en l'enfermant dans une cave sans lumière.

La colère, elle le savait bien, est un péché capital, dont il fallait qu'elle se confessât au plus vite. Et pourtant, Marie n'éprouvait ni honte ni regret de sa faute. Elle avait beau chercher une trace de contrition dans son cœur, elle n'y trouvait qu'un chatouillement de gaieté et une envie de se joindre au chant que les matelots venaient d'entonner.

Le navire se balançait d'une autre manière, à la fois plus profonde et plus douce. Ils avaient largué l'amarre, ils avaient quitté le quai, ils étaient au milieu du bassin, ils étaient en route vers le Canada!

Les autres n'avaient encore rien remarqué; au milieu de la chambre, elles entouraient Mme Bourdon qui leur expliquait pourquoi l'équipage devait couvrir les écoutilles pendant qu'ils couraient sur le pont et hissaient les voiles. On y était aussi forcé lorsqu'il pleuvait et que la mer était grosse, pour éviter que l'eau n'envahît l'entrepont. Durant les tempêtes, il arrivait aux navires de tanguer si fort qu'on devait, par crainte du feu, décrocher les lanternes du plafond des cabines. Alors, il fallait rester dans le noir et demander à Dieu la lumière de Sa grâce tant que durait la tourmente; mais elles allaient être en mer pendant la meilleure saison, où les tempêtes ne durent, grâce à Dieu, pas plus d'un ou deux jours. Elle espérait donc que ses vingt-six filles, fortes de cette certitude, et la Providence aidant, sauraient se conduire aussi raisonnablement que les vingt autres avec lesquelles elle avait franchi l'océan l'année précédente.

Tout aussi soudainement qu'elle avait été fermée, l'écoutille s'ouvrit, et deux matelots descendirent l'échelle en courant. Ils posèrent sur la table du pain, du fromage, des oignons et deux grandes jarres d'eau, et remontèrent aussi vite sur le pont en emportant les scaux des quatre chaises percées.

Toutes savaient maintenant que la frégate était en route: on entendait l'eau bruire contre les bordages et les meubles grincer, et le plancher se balançait uniformément et sans relâche. Elles se regardèrent, partagées entre le rire et la peur.

Mme Bourdon fit le partage des victuailles. En emplissant le cruchon de chacune, elle veilla soigneusement à n'en pas verser une goutte. Une pinte, ou trois cruchons, telle était la portion quotidienne, et malheur à qui gaspillait l'eau douce à bord! Toutes Filles du Roy qu'elles fussent, il leur fallait sans plus attendre apprendre à ménager leur portion d'eau.

Elles avaient fini de manger, lorsque le premier lieutenant, du haut de l'écoutille, les invita à monter sur le pont. Une par une, elles gravirent à tâtons l'échelle, les unes se plaignant d'être en proie au vertige, les autres riant de voir le sol se dérober sans cesse sous leurs pas. La vue des voiles gonflées les fit cependant se taire ou parler à voix basse, comme si elles étaient entrées dans une cathédrale.

Le vent qui, sur le pont, leur caressait à peine le visage, emplissait la voilure avec une étrange force. Les voiles s'arrondissaient comme, sur les estampes, les joues de Borée, le dieu du vent, se dit Marie, se remémorant celles qu'elle avait vues à l'imprimerie.

Le navire venait de dépasser l'extrémité du môle. La terre qu'elles venaient de quitter était encore toute proche, montrant des falaises blanches qui tombaient droit dans la mer et, çà et là, le clocher d'un village entre les bouquets d'arbres dispersés. Ce paysage était la partie aride de la Normandie qu'elles avaient traversée trois jours plus tôt. Déjà, elles s'en souvenaient à peine. Et, bientôt, il allait disparaître pour toujours, comme Saint-Malo et la Bretagne, comme si tout l'Ancien Monde s'était enfoncé dans la mer.

La vie à bord était austère et réglée comme dans un couvent. Elles se levaient avec le soleil, faisaient leur prière matinale et prenaient leur déjeuner avant de retourner se terrer derrière les rideaux de leurs couchettes, tandis que deux matelots vidaient les chaises percées et lavaient le plancher à l'eau de mer avec de grands balais. Après quoi les jeunes filles avaient le droit de monter sur le pont jusqu'à l'heure de la messe.

Tous les jours, les passagers se rassemblaient au pied du grand mât pour prendre part au saint sacrifice. Aussitôt après, les deux pères jésuites et les quatre religieuses redescendaient dans leurs cabines, tandis que les autres passagers restaient dehors à prendre l'air. Toutes les Filles du Roy ne cherchaient pas à jouir de ce privilège: la plupart préféraient retourner bien vite à leurs couchettes, car elles se sentaient mal debout sur un plancher qui n'arrêtait pas de bouger.

Ni Marie ni Catherine ne souffraient du mal de mer. À l'instar de Mme Bourdon et de sept ou huit autres filles, elles aimaient passer le plus de temps possible sur le pont. Pour ne pas gêner l'équipage, elles se perchaient sur le caillebotis de la grande écoutille de cale et s'occupaient de leur mieux. Mme Bourdon apprenait à broder à la petite Marie de Beauregard, Marie Charié tricotait et les autres ravaudaient leurs bas ou cousaient un ourlet aux pièces de leur trousseau. Pendant ce temps, les Chats de Saint-Malo ou Marie Mulois lisaient à haute voix l'histoire d'une troupe de comédiens ambulants dans *Le Roman Comique* de Paul Scarron. Elles riaient si fort de leurs plaisantes aventures que Mme Bourdon devait souvent les faire taire, pour ne point incommoder les autres passagers.

Après quoi, elle adressait un sourire d'excuse aux cinq hommes qui prenaient l'air sur le pont, mais sans chercher à ouvrir une conversation.

Lorsque la cloche du navire sonnait trois heures, le coq sortait de la cambuse, suivi de deux matelots qui portaient un énorme chaudron, et l'odeur du lard et des pois se répandait sur le pont. Alors, valets et servantes sortaient des écoutilles, chargés de soupières que le coq remplissait de soupe fumante, puis ils s'en retournaient en courant vers les cabines où leurs maîtres allaient dîner. C'est à ce moment-là, lorsque Marguerite attendait son tour avec les autres serviteurs, que Catherine et Marie pouvaient échanger quelques mots avec leur tante. Elle était toujours maigre et pâle, mais il y avait dans ses yeux creux une étincelle de gaieté, comme au temps où, à l'Imprimerie, elle venait à la porte de sa cuisine pour écouter les madrigaux italiens de Bernard Galinet. Comme Marie, elle aimait, elle aussi, la vie en mer.

Quand tous les serviteurs avaient fait remplir leurs soupières, deux Filles du Roy emportaient le chaudron avec le reste de soupe tiède dans leurs cabines. C'était toujours Mme Bourdon en personne qui faisait le partage, en veillant bien à en mettre autant dans chaque écuelle.

Après le repas, elles étaient tenues de rester en bas jusqu'à la promenade du soir, juste avant le coucher du soleil. Malgré les deux lanternes du plafond qui se balançaient au-dessus de la table, la salle était dans la pénombre, et comme on ne pouvait lire ou coudre qu'en pleine lumière, ces places étaient fort convoitées. Pour éviter les querelles, les filles se contentaient de s'asseoir autour de la table pour y bavarder tout l'après-midi et se raconter d'où elles venaient et comment elles étaient devenues Filles du Roy. Parfois, l'une d'elles se mettait à fredonner une chanson de sa province, et, bientôt, toutes les autres se joignaient à elle en un chœur mélancolique qui faisait sortir Mme Bourdon de sa cabine pour chanter en leur compagnie.

Elles n'étaient qu'une poignée à vouloir sortir une dernière fois avant la nuit, mais Marie sortait toujours la première. Elle ne se lassait pas de voir la surface ondulante de la mer, violette sous le soleil bas, devant l'étrave du navire, ni de suivre des yeux le vol interminable des oiseaux tournant en cercle au-dessus des voiles dorées que gonflait le vent du soir. Deux jours de ce calme parfait, c'était plus qu'on ne pouvait espérer au milieu de la Manche, déclara le second le deuxième soir en regardant l'horizon qui se tachait de rouge. On avait dépassé La Hague, et il allait y avoir gros temps.

La puanteur était insupportable. Deux jours durant, le navire avait été secoué par le tangage, malmenant si fort celles qui étaient sujettes au mal de mer, que les autres, ébranlées par l'odeur et le bruit des vomissements, avaient fini, elles aussi, par céder à la nausée. Le pire moment, c'était la nuit, quand l'air frais ne pénétrait plus dans l'entrepont dont l'écoutille était fermée. Le premier soir, Marie se recroquevilla dans sa couchette en priant Dieu de lui accorder la délivrance du sommeil. Mais elle fut bientôt en butte à des rêves confus d'incendie et de mari sans visage qui la laissèrent moite et emplie de trouble.

Au matin, les matelots apportèrent dans leur quartier deux cuviers et leur apprirent à laver leurs effets à l'eau de mer, sans soude ni savon. Les vêtements ne devenaient pas aussi propres ni aussi souples que lorsqu'on les lavait à l'eau douce, mais on parvenait au moins à les nettoyer des traces de vomissure. Après quoi, ils se mirent à laver le plancher avec encore plus d'eau et de coups de balai qu'à l'accoutumée. On aurait dit qu'ils riaient sous cape des filles qui gémissaient dans leurs couchettes.

Il n'y eut pas de messe ce matin-là non plus, car les deux pères jésuites n'étaient pas encore rétablis du mal de mer, et seuls quelques passagers s'aventurèrent sur le pont où le vent d'ouest agitait les voiles raccourcies. Quand le coq apparut, portant le chaudron de soupe, la plupart d'entre eux disparurent, comme si la seule odeur du lard les avait chassés vers leurs cabines.

Ceux qui n'avaient pas entièrement perdu l'appétit refusèrent d'aller manger dans l'entrepont. Ils se réunirent au pied du grand mât, le dos au vent, et s'efforcèrent en riant de manger sans rien renverser.

Comme il était étrange de se comporter avec autant d'aisance en compagnie de personnes dont on ne connaissait même pas le nom, se dit Marie. À présent, Mme Bourdon, relâchant la garde de ses filles, ne leur interdisait plus de parler à leurs compagnons de voyage. On aurait même pu croire qu'elle était fort contente de pouvoir s'entretenir avec d'autres personnes à bord. «Mes Néréides», dit-elle en présentant Marie, Catherine et les trois autres filles qui affrontaient le grand vent au lieu de chercher refuge dans l'entrepont auprès de celles qui souffraient du mal de mer.

Deux des passagers, des marchands qui rentraient de France, étaient bien connus de Mme Bourdon, car ils appartenaient à la même paroisse de Québec. Les autres étaient un couple d'âge mûr et un jeune homme dont Marie ne savait s'il était leur fils ou leur serviteur. Ils se tenaient à distance, comme si, faute d'y être conviés, ils n'osaient pas se joindre à la compagnie. Toutefois, l'aîné des hommes souriait sans cesse, si bien que les filles durent bientôt lui rendre ses sourires.

Lorsqu'au bout d'un moment, Mme Bourdon se retourna et les aperçut, ils purent enfin s'approcher pour saluer. Le cœur de Marie fit un saut dans sa poitrine en entendant le nom de Sylvestre Lamarre; les autres étaient son épouse Martine et l'ouvrier imprimeur Louis Clatin. Il était donc l'imprimeur qui allait s'établir à Québec!

Mme Lamarre redescendit bientôt à leur cabine pour rejoindre leur fille qui souffrait du mal de mer. Pour sa part, l'imprimeur préférait prendre l'air sur le pont, où il passait toutes ses matinées à quelques pas des Filles du Roy. C'est ainsi qu'il avait eu l'occasion de les entendre lire *Le Roman comique* de Paul Scarron, un livre qu'il avait lui-même, en son temps, eu la grande joie d'imprimer et de vendre à Dieppe, sa ville natale.

Mme Bourdon, qui ne savait pas comment le livre était arrivé entre les mains de Catherine et de Marie, s'émerveilla des hasards de la vie et rendit grâce à la Providence, tandis que le vieil imprimeur hochait la tête en souriant comme s'il venait de conclure un marché avantageux.

L'ouvrier, un peu à l'écart, regardait la mer. Il était de petite taille, fin et délié de corps comme un garçon, avec des cheveux noirs et frisés et une barbe vigoureuse. C'est à lui que j'aurais ressemblé si j'avais été un homme, se dit Marie en rougissant de sa pensée.

Mais bientôt le vent grossit, et le premier lieutenant les renvoya dans l'entrepont.

Cette nuit-là, les Filles du Roy n'eurent pas de nausées, mais elles se plaignirent dans leur sommeil comme les vieilles femmes qui souffraient d'arthrite à l'hôpital de Saint-Malo. Le navire avait cessé de tanguer; seul un roulis profond et endormant le balançait d'un bord à l'autre. Toutefois, Marie ne parvint pas non plus à s'endormir. Une douleur singulière s'était emparée de son ventre, comme si des tenailles mordaient pour la déchirer dans la chair sombre qui se cachait entre ses hanches; elle avait à la fois la nausée et terriblement faim.

Catherine dormait auprès d'elle, mais une étrange pudeur retint Marie de la réveiller pour lui demander ce qu'il lui arrivait. Elle préféra se laisser couler bas au fond d'un sommeil moite et plein d'images et de bruits, comme si tout ce qu'elle avait vécu jusqu'à cette nuit — la mort de sa mère, le travail à l'atelier auprès de son père, le château de Jagu, le couvent, Mme Pontorson, l'hôpital, le voyage à Dieppe —, tous ses souvenirs se pressaient pour être rappelés et nommés en un seul et même instant.

Au matin, elle était si épuisée que Catherine dut la secouer longtemps pour la réveiller. Se dressant d'un bond sur le lit, elle s'aperçut trop tard de sa honte: sa chemise était souillée de sang tant par-devant que par-derrière.

«Soyez la bienvenue dans notre compagnie!» s'écria en riant Florimonde, qui était en train de rincer une loque tachée de sang dans le cuvier d'eau de mer.

Depuis qu'elles vivaient ensemble à la Salpêtrière, racontèrent les Filles du Roy, elles avaient toutes «leurs anglais» en même temps, et les nouvelles venues se mettaient bien vite au même pas. Il en allait ainsi avec les brebis d'un troupeau: elles tombaient toutes en chaleur dans la même semaine, ajouta Perrette Vellay qui avait grandi à la ferme familiale en Champagne.

À présent, il leur fallait demander à Mme Bourdon comment s'y prendre pour laver tant de loques souillées sans soude, et pour les mettre à sécher sans en encombrer toutes les vergues, disaient-elles en riant, tandis que l'eau du cuvier se faisait rouge et épaisse.

«Comme de la soupe au boudin», dit la petite Marie de Beauregard qui était trop jeune pour saigner, les faisant toutes s'esclaffer.

Il était donc possible de se gausser des loques ensanglantées dont les servantes, chez ses parents, parlaient à voix basse comme s'il se fût agi d'une maladie honteuse, se dit Marie en regardant sa sœur. Catherine était en train de tirer de leur coffre des bandes de chiffon blanc, car, elle aussi, cette nuit, avait reçu la visite des anglais en tunique rouge.

C'était sans doute cette colique habituelle aux femmes qui avait si fort abattu les Filles du Roy ces trois derniers jours. Aucune ne se plaignant plus du mal de mer, elles montèrent toutes d'un pas large et ferme sur le pont pour assister à la messe de la Transfiguration de Notre-Seigneur.

La pointe des mâts dodelinait entre le soleil du matin et un amas grossissant de nuages violets, et le vent était si faible que les basses voiles pendaient mollement aux vergues. Bientôt, une averse d'été allait les chasser à l'intérieur du navire, aussi devaient-elles profiter de ces dernières minutes à l'air frais, déclara Mme Bourdon en s'asseyant à sa place habituelle sur le caillebotis.

Marie ouvrit les *Essais* de Montaigne au hasard, comme d'ordinaire, et se mit à lire: «J'en jouis comme les avaricieux des trésors, pour savoir que j'en jouirai quand il me plaira; mon âme se rassasie et contente de ce droit de possession. Je ne voyage sans livre ni en paix, ni en guerre. Toutefois, il se passera plusieurs jours, et des mois, sans que je les emploie: "Ce sera tantôt, fais-je, ou demain, ou quand il me plaira." Le temps court et s'en va, cependant, sans me blesser. Car il ne se peut dire combien je me repose et séjourne en cette considération, qu'ils sont à mon côté pour me donner du plaisir à mon heure, et à reconnaître combien ils portent de secours à ma vie. C'est la meilleure munition que j'aie trouvé à cet humain voyage, et plains extrêmement les hommes d'entendement qui l'ont à dire. J'accepte plutôt toute autre sorte d'amusement, pour léger qu'il soit, d'autant que celui-ci ne me peut faillir.»

Derrière elle, deux autres filles s'entretenaient à voix basse; Marie ne savait pas qui elles étaient ni de quoi elles parlaient, mais devinait à leurs rires étouffés qu'il s'agissait de garçons. Pour elle qui était en train de lire les *Essais* de Montaigne, écouter la conversation des autres était un bien léger amusement, mais elle ne put s'empêcher de dresser l'oreille.

«Le grand est le plus beau, dit l'une.

— Je ne parviens pas à les distinguer, marmonna l'autre.

— Ils ont tous la même barbe et les mêmes vêtements.

— Leurs pieds, on peut les reconnaître à leurs pieds.»

C'étaient donc des matelots, qui leur apportaient des victuailles et de l'eau et qui lavaient leur entrepont, que parlaient les deux filles. Et celle, qui avait la voix d'Anne Thomas, la Rousse, répéta qu'on pouvait distinguer l'un de l'autre les matelots toujours différents qu'on envoyait dans leur quartier rien qu'à regarder leurs pieds nus.

Marie n'avait jamais remarqué la moindre différence entre ces hommes. Elle évitait de les regarder pendant qu'ils lavaient le plancher, et elle avait même envie de disparaître sous la paille de sa couchette lorsqu'ils emportaient les seaux de leurs chaises percées ou les cuviers pleins de leur eau sale. La pensée que ces matelots sans visage pouvaient, après coup, commenter ces mêmes seaux la glaçait de honte et d'horreur. Plus insupportable encore était la crainte que le premier lieutenant et les autres officiers, à qui elle était parfois obligée d'adresser la parole, entendissent la conversation des matelots, et même y prissent part.

Derrière elle, les deux filles chuchotaient qu'il y avait à bord plusieurs jeunes officiers du régiment de

Carignan-Salières, et même certains d'entre ceux qu'elles avaient rencontrés à Dieppe. Tout le jour, ils se tenaient à l'arrière avec le reste de l'équipage et ne sortaient sur le pont que lorsque les autres passagers étaient dans leurs cabines. Les filles, tout agitées d'émoi, riaient comme si elles n'éprouvaient aucune vergogne à savoir que les jeunes officiers, qui leur avaient fait la cour, pouvaient à présent entendre parler des deux cuviers d'eau sanguinolente que les matelots avaient jetée à la mer.

Pourquoi était-elle secouée par de pareilles pensées, et qui pourrait l'aider à s'en délivrer?

Elle n'avait pas grand espoir de trouver réconfort chez Montaigne, car, étant gentilhomme, il ne se mêlait sûrement point d'écrire sur pareil sujet. Et il n'y avait à bord personne, même pas Mme Bourdon, à qui Marie pût demander conseil. Il lui fallait tirer cela au clair toute seule.

Elle regarda le ciel d'un gris uniforme où les nuages flottaient au ras des voiles qui claquaient et se tendaient avec la brise. Il allait bientôt pleuvoir, mais Marie n'avait pas envie de suivre tout de suite les autres dans l'entrepont. Elle déplia la cape sur laquelle elle était assise, et la mit sur ses épaules. Puis, levant le visage, elle attendit les yeux fermés les premières gouttes de pluie.

«Me permettez-vous de regarder votre livre», dit une voix d'homme auprès d'elle, et elle sentit une main saisir les *Essais* de Montaigne sur ses genoux. Maître Lamarre, devant elle, était en train de feuilleter le chef-d'œuvre de maître Carduner avec un air de profonde admiration. Il n'avait, de sa longue vie d'artisan, jamais vu petit romain aussi fin et élégant; car, cela était bien connu de tous les imprimeurs, il n'existait pas de caractères plus traîtres lorsqu'on les mettait, enduits d'encre, sous la presse.

D'un coup, honte et loques tachées de sang s'évanouirent dans l'oubli. Marie fit la révérence à Sylvestre Lamarre en le saluant de la part de son successeur Marcel Perron, et bientôt, on aurait cru voir un oncle et une nièce qui, se retrouvant après une longue absence, avaient mille choses à se raconter!

Maître Lamarre avait rencontré maître Carduner dans sa jeunesse, quand il était apprenti chez l'imprimeur parisien Jean Millot, tandis que Pierre-Étienne Carduner était déjà deuxième compagnon. En ce temps-là, tous ceux qui voulaient devenir imprimeur devaient apprendre le métier à Paris ou à Lyon, dans l'un des vieux ateliers où l'art de l'imprimerie avait d'abord été importé d'Allemagne.

Et à présent, maître Lamarre était en route pour le Canada avec sa femme, sa fille Gabrielle et son ouvrier Louis, à qui celle-ci était fiancée. Le parrain de Mme Lamarre, qui était seigneur dans la région de Québec, leur avait proposé d'acheter une ferme sur ses terres. En Nouvelle-France, maître Lamarre ne voulait toutefois pas se contenter de cultiver la terre. Il avait aussi l'intention d'établir, par privilège royal, la première imprimerie du Canada; pour ce faire, il emportait, dans la cale de la frégate, une presse toute neuve et dix rames de papier. Il avait de plus dans ses bagages nombre de livres imprimés de sa main, entre autres, *Le Roman comique* de Scarron, qu'il comptait mettre en vente aussitôt qu'il aurait ouvert boutique.

Au seul mot «livre», Marie se sentit pleine d'audace. Oubliant toute retenue, elle posa à maître Lamarre tant de questions sur les titres, le nombre d'exemplaires, les caractères et la qualité du papier qu'il se mit à regarder avec étonnement la maigre fille aux cheveux bruns frisés et aux yeux avides d'apprendre qui semblait mieux connaître le métier que son propre compagnon.

Debout sous la pluie, ils se plaisaient si fort en compagnie l'un de l'autre qu'ils en oubliaient de sentir s'ils étaient mouillés.

La petite Marie de Beauregard était une étrange créature. Grande pour ses huit ans, mais encore plate et sans forme, elle nouait sa basquine et balançait sa cotte en marchant comme une femme adulte, mais se mettait à rire ou à pleurer d'un rien avec la véhémence d'un petit enfant.

Tout le jour, elle se tenait le plus près possible de Mme Bourdon, qu'elle appelait «maman» en lui baisant la main à tout instant. La nuit, elle dormait si près du sein de Marie Charié qu'on eût dit qu'elle tétait. Alors, les yeux de l'aînée se mouillaient de larmes, car elle pleurait encore le mari et le nourrisson qu'elle avait perdus un an plus tôt.

La plus vieille et la plus jeune des Filles du Roy étaient aussi parmi celles qui savaient le moins bien lire et écrire. Mais elles étaient férues de lecture, surtout lorsque le livre était un roman. Lorsqu'il revenait à Marie de lire à haute voix, la petite Marie venait s'asseoir tout contre elle pour suivre les lignes du bout du doigt. Ensuite, elles jouaient à l'école; Marie Carduner était le maître et dictait à la petite un passage du livre, que celle-ci s'efforçait d'écrire sur une page encore vierge arrachée au journal de celle-là.

Souvent, tandis qu'elles étaient assises ainsi sous la lampe, Mme Bourdon disait en souriant à Marie qu'elle trouverait sûrement une place de gouvernante chez quelque seigneur, si jamais elle ne parvenait pas à se marier tout de suite. Et c'était bon à entendre pour une fille qui savait fort bien qu'elle avait la gorge plate et le teint presque aussi basané qu'une Mauresque, et qu'elle était, pour tout dire, la dernière qu'un homme voulût choisir pour épouse.

Les jours passaient, se ressemblant malgré les changements du temps. Chaque matin après la messe, le premier lieutenant expliquait la position du navire. Bien qu'on ne vît pas la terre, l'Angleterre se trouvait au nord, à tribord, et la Bretagne au sud, à bâbord.

Le jour où il dit que la frégate se trouvait juste au nord de l'estuaire du Trieux, les sœurs Carduner coururent main dans la main jusqu'au bastingage de bâbord, espérant voir au loin le château de Kervrezel où Simon de Saint-Modez vivait à présent avec son épouse Alaine. Plus au sud, les vieilles tours du château de Jagu se reflétaient dans la rivière verte qui achevait son cours entre les îles basses et les récifs, quelques milles plus loin. De la côte, elles ne virent toutefois rien d'autre que les oiseaux blancs qui, par centaines, avaient leurs nids dans les rochers et les dunes invisibles.

Les jours suivants, les passagers eurent à peine le droit de monter sur le pont pour chercher leur pitance de trois heures; ils étaient aussitôt renvoyés dans l'entrepont par des officiers nerveux qui sans cesse levaient les yeux vers le matelot de quart dans le nid-de-pie. D'autres marins, qu'on n'avait encore jamais vus sur le pont, se tenaient deux par deux à côté des canons, comme s'ils attendaient une attaque.

Bien que la frégate suivît les côtes de France, on n'était jamais complètement à l'abri des corsaires anglais, expliqua le premier lieutenant. De Portsmouth à Plymouth, ils régnaient sur la Manche, rendaient la navigation périlleuse pour tout autre que les vaisseaux anglais. Au large de Terre-Neuve, de l'autre côté de l'océan, c'étaient les corsaires français qui rendaient la navigation périlleuse pour les navires anglais, ainsi étaient-ils quittes, ajouta Mme Bourdon, comme s'il se fût agi de querelles de garnements et non de batailles navales.

À passer ainsi toutes leurs journées dans l'entre-pont, les Filles du Roy s'ennuyaient si indiciblement qu'elles en devenaient pimbêches et se cherchaient noise pour un rien. La petite Marie de Beauregard était maîtresse dans l'art d'agacer les autres en voulant sans cesse grimper sur leurs genoux; Marie Charié prenait sa défense, et soudain toutes s'emportaient contre tou-tes, si bien que Mme Bourdon devait intervenir et se faire à chaque fois juge et arbitre.

Catherine et Marie se tenaient en dehors des cha-mailleries. Le plus souvent, elles restaient dans leur couchette à lire ou à s'entretenir à voix basse. Parfois, assises l'une près de l'autre, elles se contentaient de rêver sans ouvrir leur livre. Regardant sa sœur à la dérobée, Marie observait alors combien elle était belle, ses grands yeux couleur de miel ainsi tournés vers la lumière de l'écoutille, comme si elle attendait que quelqu'un y apparût. Marie ne savait pas de quel sauve-teur Catherine espérait l'arrivée. Elle ne parlait jamais plus de Simon, et il semblait qu'elle eût complètement oublié la trahison de Bernard Galinet; mais la cadette savait qu'elle s'endormait souvent en pleurant. Alors, Marie priait Dieu de prendre en pitié sa sœur et de lui donner enfin le mari tendre et bon qu'elle méritait après tant de déconvenues.

Marie, quant à elle, ne ressentait point de chagrin à la pensée d'un homme, car elle n'en connaissait à vrai dire aucun. Autrefois, elle était trop jeune, et, mainte-nant, elle était trop laide pour qu'aucun homme jetât les yeux sur elle. Les seuls hommes en compagnie desquels elle eût ressenti quelque joie étaient son père, le vieux père Saint-Efflam et maître Lamarre; et le seul sujet d'entretien qu'elle eût jamais eu avec eux était les livres. Car c'était de livres qu'elle aimait le mieux parler.

Aimait-il aussi les livres, l'homme qui l'attendait de l'autre côté de l'océan? De quoi s'entretiendraient-ils, le soir, lorsqu'ils reviendraient des champs? Auraient-ils le temps de se faire la lecture à haute voix avant d'aller se coucher?

Mme Bourdon leur avait dit que les femmes du Canada ne se contentaient pas de mettre les enfants au monde et de préparer à manger; elles devaient aussi aider leurs maris à défricher la terre, à semer et à moissonner, aussi ne leur restait-il pas beaucoup de temps pour s'occuper à ce qu'on apprend d'ordinaire aux femmes: filer, tisser et tenir la maison. Les maisons n'étaient d'ailleurs que de simples bâtiments de bois contenant pour tout ameublement qu'une cheminée, une table, deux bancs et deux ou trois lits.

Il n'y a pas de place pour des livres dans une pareille maison, se dit Marie. Dans deux mois, je serai peut-être mariée à un homme qui ne sait pas lire, et contrainte à vivre dans un bâtiment de bois où il n'y a pas de livres!

Enflant comme une vague, la pensée de ce qui l'attendait envahit sa poitrine et l'emplit d'une angoisse si cuisante et si énorme que sa basquine lui parut soudain trop étroite. Elle se jeta en sanglotant dans les bras de Catherine, pressant sa bouche contre les genoux de sa sœur pour que nul n'entendît qu'elle criait au fond d'elle-même: «Je ne veux pas me marier!»

Mais il était trop tard, elle avait signé son nom au bas du contrat, elle qui savait si bien lire et écrire. À présent, elle n'était plus qu'une Fille du Roy parmi toutes celles qui allaient au Canada pour mettre au monde de nombreux nouveaux chrétiens dans la colonie, et il n'y avait plus moyen de revenir en arrière.

CHAPITRE 5

Le mal des longs cours

Lorsqu'ils furent parvenus deux jours à l'ouest des îles Scilly, le capitaine déclara que le danger était passé, et donna aux passagers la permission de retourner sur le pont autant qu'ils le désiraient. La plupart des Filles du Roy continuèrent toutefois à redescendre dans l'entrepont aussitôt après la messe, car elles craignaient de voir leur peau brunir comme vieux cuir sous l'effet du soleil et du vent, et faire d'elles des Mauresques aux yeux de leurs promis.

Marie, Florimonde et Jacqueline, que Dieu avait fait naître brunes de teint, n'avaient point à s'embarrasser de pareils scrupules. À partir de ce jour, à moins qu'il ne plût ou que le vent ne soufflât trop fort, elles passèrent le plus clair de leur temps dehors. Les premiers jours, la Rousse Anne Thomas et Marguerite Abraham restèrent tout l'après-midi auprès d'elles sur l'écoutille, espérant voir les jeunes officiers du régiment de Carignan-Salières sortir de leur quartier, à l'arrière du navire. Au bout d'une semaine, elles remportèrent leurs espoirs déçus dans l'entrepont, et les trois filles brunes se retrouvèrent seules sous les voiles gonflées.

Chaque matin, le soleil frappait si brutalement la mer qu'elle en devenait comme un métal dont l'éclat blessait les yeux. Pour les protéger, Mme Bourdon se voilait le visage d'un morceau d'étamine; toutes ses filles voulant l'imiter, la confusion puis la gaieté régnèrent bientôt chez les messieurs. À présent, il était en effet impossible de reconnaître la Bonne Bergère de ses brebis.

Il n'y avait dorénavant plus lieu d'interdire le commerce entre les deux sexes. Ni les maîtres, qui étaient tous âgés, mariés ou hommes d'Église, ni leurs valets n'avaient en eux l'étoffe qui inspire de doux sentiments. Lorsqu'il arrivait qu'une fille s'entretînt avec un des valets, les autres lui rappelaient bien vite qu'une Fille du Roy promise à un libre fermier aurait grand tort de mettre son honneur en danger pour un esclave. En Nouvelle-France, les serviteurs ne valaient en effet pas mieux que des esclaves, étant liés par un contrat de trois ans qui leur interdisait de quitter leur maître ou de se marier sans sa permission.

C'était le désir d'aventure qui poussait ces jeunes gens à sacrifier trois ans de leur vie pour une traversée, et surtout l'espoir que, une fois libérés de l'esclavage, ils pourraient enfin faire fortune dans le commerce des fourrures. Mais peu d'entre eux atteignaient leur but; la plupart, recouvrant à temps leur bon sens, s'engageaient à défricher un lopin sur la terre d'un seigneur plutôt que de perdre leur santé et leur âme en compagnie d'Algonquins et de bêtes sauvages.

Ainsi parlait maître Lamarre en regardant le coucher du soleil avec Marie. Ils se complaisaient ensemble, s'entretenant de mille choses, mais surtout de livres et de l'art de les imprimer. Il était éberlué des connaissances de Marie, et plus encore de son ardeur à en acquérir de nouvelles. Auprès de lui, elle se sentait l'esprit léger, car il lui assurait qu'elle ne manquerait jamais de livres tant qu'il tiendrait librairie à Québec.

Après le dîner, Mme Lamarre, Gabrielle et Louis, l'ouvrier, montaient sur le pont pour prendre l'air avant la nuit. Gabrielle était merveilleusement belle aux yeux de Marie; grande et blonde, elle avait dix-neuf ans, une peau nacrée et des yeux bleus où les larmes perlaient dès qu'on parlait devant elle de malheur ou de mort. Elle était fragile et souffrait continuellement du mal de mer, même lorsque le navire oscillait à peine sur l'eau plate.

Gabrielle aimait aussi les livres, et mettait au-dessus de tous les autres la *Clélie* de Madeleine de Scudéry. Aucun écrivain ne dépeignait l'amour avec autant de délicatesse que celle qu'on appelait «la Princesse des Précieuses». Il n'y avait qu'un bouffon rustre et ignare comme Molière, dont le seul but était de faire ricaner la populace, pour oser se moquer d'elle dans une farce comme *Les Précieuses ridicules*.

La seule comédie de Molière que Marie eût jamais lue était *L'École des femmes*, où il défendait l'amour de deux jeunes gens contre les manigances d'un méchant vieillard. Mais elle avait entendu parler des «précieuses», qui étaient souvent l'objet de conversation entre les demoiselles du couvent. Elle savait ainsi qu'elles étaient des dames nobles qui, tenant les occupations de l'âme pour plus élevées que celles du corps, préféraient lire des livres ou s'entretenir de l'amour, plutôt que de se marier et de faire des enfants avec l'élu de leur cœur.

Si elle avait été demoiselle, ou pour le moins fille d'un riche bourgeois comme Gabrielle, Marie aurait bien volontiers suivi l'exemple des précieuses et consacré sa vie à cultiver son esprit. Mais n'étant qu'une pauvre orpheline en route pour le Canada, elle n'avait d'autre choix que d'épouser un paysan ignare et sans fortune.

C'était sans doute un signe de rébellion contre l'ordonnance divine que de désirer ou même de rêver à un autre destin. Mais le feu de la révolte couvait depuis si longtemps dans le cœur de Marie, qu'elle avait peu d'espoir de le voir s'éteindre avant qu'elle n'eût rejoint la tombe, que Dieu ait pitié de son âme!

La belle et fragile Gabrielle n'était pas faite pour la dure existence d'une femme de fermier, elle était à bon droit «précieuse», et Marie lui souhaitait une vie emplie du bonheur le plus doux aux côtés de Louis Clatin, ce jeune homme plein de tendre respect qui lui ressemblait si étrangement.

Les voyant se promener lentement sur le pont, elle, si délicate et lui, si courtois, elle ressentait pour eux deux une humble tendresse qui était comme le reflet des sentiments qu'ils éprouvaient l'un pour l'autre. Alors, elle se sentait très vieille et avisée à côté de maître Lamarre qui l'entretenait des manières de polir les types ou de mélanger l'encre d'imprimerie.

Pour la deuxième fois, on voyait la pleine lune au-dessus de la mer. Elle flottait dans le ciel, comme sans force, derrière les écharpes d'un brouillard blême plein de néfastes présages.

Jour et nuit, les voiles pendaient aux mâts comme des chiffons humides. Les hommes d'équipage erraient sans but sur le pont en regardant la mer, comme s'ils espéraient voir Neptune et ses nuées d'orage se dresser à l'horizon pour mettre fin à la bonace. Mais, jour après jour, le même brouillard épais cachait le ciel et s'étalait sur la mer plate comme l'huile.

Tous les matins, après la messe, les passagers priaient saint Christophe de les protéger des courants insidieux qui conduisent les navires aux voiles vides vers l'écueil invisible ou la montagne de glace en dérive. Ils invoquaient aussi sainte Barbe, pour qu'elle délie le tonnerre de Dieu et réveille les vents assoupis. Car, en mer, mieux vaut une tempête qu'une longue absence de vent.

Au bout d'une semaine, le premier lieutenant annonça qu'il allait bientôt devoir réduire les rations d'eau à deux cruchons par jour. Il avait les traits si tirés d'anxiété que personne, parmi les filles, ne songea à récriminer; à peine osaient-elles se regarder, de peur que l'angoisse ne les fît éclater en sanglots.

Le même jour, ce fut sœur Isabelle qui monta sur le pont pour chercher sa part de soupe et celle de sœur Agnès, car leur servante sœur Marguerite et la novice sœur Claude étaient toutes les deux malades et alitées. À côté des Filles du Roy, de Mme Bourdon et de Mme Lamarre, qui avaient pris des couleurs à l'air marin, l'ursuline était pâle comme cire, et si maigre au bout de cinq semaines de confinement, que le premier lieutenant se précipita pour la soutenir. Mais elle ne voulait recevoir d'aide d'aucun homme, fût-il officier et médecin. Elle se contentait de celle de Catherine et de Marie, qu'elle envoya au chevet de leur parente.

Tante Marguerite souffrait d'une forte colique, expliqua Marie au premier lieutenant lorsqu'elle vint requérir son aide. Sœur Claude, la novice, avait, elle aussi, de violentes crampes dans le ventre, et elle vomissait comme si elle avait le mal de mer. Hochant la tête, le second s'enquit du pouls des patientes, qui était faible, et de leur température, si basse qu'il n'était pas besoin de les saigner, puis il entraîna Marie vers la cambuse. Là, il prit une bouilloire en cuivre, la remplit d'eau et la posa sur les charbons dans le brasero du coq.

Quand l'eau fut chaude, il prit la bouilloire et emmena Marie dans sa cabine. Sur une petite table, devant le hublot, il y avait un mortier et une foule de pots en verre pleins de poudre et d'herbes séchées. Dans les verres sur lesquels il était écrit «*Cynoglossum officinalis*» et «*Valeriana officinalis*», il prit deux morceaux de racine grisâtre et se mit à les écraser dans le mortier. Puis il y mélangea une poudre blanche qu'il appela «bismuth», mit le mélange dans un grand verre, versa dessus l'eau chaude et le remua jusqu'à ce qu'il devînt blanc comme lait.

Ce remède, que Marie devait forcer les malades à boire jusqu'à la dernière goutte, même s'il les écœurait, allait calmer leurs crampes et resserrer leurs viscères. Si elles étaient de forte constitution, la potion les mettrait en état de garder un peu de bouillie de myrtilles dès le lendemain. Mais il n'existait pas de remède qui pût guérir du mal des longs cours un patient de faible constitution. Le troisième jour, les matières fécales s'emplissaient de sang, et bientôt le corps se vidait de toutes ses humeurs. Alors, il n'y avait plus qu'à prier pour l'âme du malheureux pécheur.

Il fit le signe de la croix au-dessus du verre de potion et le donna à Marie. Sur le pont, jusqu'à l'écoutille qui menait à la cabine des religieuses, elle sentit sur elle son regard inquiet et se dit qu'il regrettait déjà de ne s'être pas opposé aux ordres de sœur Isabelle afin d'aller lui-même prendre soin des premières victimes du mal.

Lorsque Marie revint à la cabine des religieuses, le lendemain à l'aube, il y avait quatre malades dans les couchettes. Sœur Isabelle et sœur Agnès avaient, à leur tour, été prises de crampes et de coliques au cours de la nuit. Comme elles étaient trop faibles pour protester, Marie put aller chercher le premier lieutenant.

Il apporta une pleine cruche de potion dont il obligea chacune à boire une grande tasse. Puis il en versa une autre à Catherine et la pria de la vider, car il valait mieux prévoir le pire: après une nuit dans les vapeurs méphitiques de la cabine, elle avait sans doute déjà le mal en elle.

À l'hôpital de Saint-Malo, Marie avait souvent vu des mourantes et appris à reconnaître, à leurs tempes creuses et à leurs râles, que le dernier combat approchait. De voir la petite sœur Claude, qui n'était pas plus vieille que Catherine, couchée ainsi, maigre et sans force, avec le sceau de la mort sur son front, la bouleversa tant qu'elle se mit à pleurer.

Elle courut en sanglotant chercher un père jésuite. En arrivant dans la cabine, le prêtre se mit la main devant la bouche, comme s'il avait la nausée. Alors, Marie se rendit compte de l'odeur d'excréments et de vomissure qui emplissait la petite pièce, une intense puanteur qu'il fallait être entraînée à soigner les malades pour pouvoir supporter. Que ces pieuses nonnes, qui châtiaient leur corps et vivaient dans la pureté, pussent exhaler tant de pestilence l'effrayait plus que ne l'eût fait un sermon de carême. Elle se jeta à genoux auprès du lit de la novice et se mit à prier avec une ardeur désespérée que Dieu les délivrât tous du mal.

Sœur Claude était encore consciente, mais trop faible pour se confesser. Le père Bellecour lui donna la sainte communion et l'extrême-onction tandis que Catherine et Marie récitaient la prière des agonisants. Pendant ce temps, tante Marguerite gisait comme engourdie sur sa couchette; son souffle était pénible, et ses mains se recroquevillaient sans cesse sur la couette que tendait son ventre dilaté.

Cependant, elle était consciente et demanda à se confesser en présence de ses nièces, car l'horrible péché dont elle voulait demander pardon à Dieu les concernait au premier chef.

Le jour où la congrégation avait décidé d'envoyer deux sœurs et une novice au couvent de Québec, la supérieure lui avait demandé si, en dépit de son âge, elle se sentait assez forte pour les accompagner en mer. Bien que sachant déjà qu'une tumeur était en train de croître dans son ventre, elle avait répondu «oui» pour pouvoir suivre Catherine et Marie, qui étaient pour elle comme des filles, et les voir établies dans leur nouveau pays. Elle avait fait passer sa propre tranquillité d'âme avant le bien de son couvent, et attiré ainsi la vengeance divine non seulement sur elle-même, mais aussi sur ses sœurs. Car, comme un fœtus diabolique, c'était bien la pourriture qu'elle portait en son cœur qui s'était répandue dans toute la cabine et avait contaminé sœur Claude, sœur Agnès et sœur Isabelle.

«Nul péché n'est trop grand qu'il ne puisse être racheté par le sacrifice de Notre-Seigneur», dit le père confesseur en lui donnant l'absolution et la sainte communion. Alors, les traits de tante Marguerite se transfigurèrent, ses mains se détendirent de chaque côté de son maigre corps, et elle s'abandonna à la grande paix au-delà de l'entendement et des passions.

Quand Marie, quelque temps plus tard, remonta sur le pont, elle savait qu'elle ne reverrait plus sa tante vivante. Catherine était restée au chevet des malades, car elle était la mieux à même de remplacer tante Marguerite auprès des religieuses. Marie, en revanche, se devait de retourner à la cabine des Filles du Roy pour aider le premier lieutenant, au cas où le mal s'étendrait.

La nouvelle que deux des ursulines ne passeraient pas la nuit était déjà parvenue aux Filles du Roy. Elles se pressèrent autour de Marie pour l'interroger sur le mal, qu'elles croyaient être la peste noire. À Mme Bourdon, elles demandaient comment on pouvait enterrer les morts au milieu de l'océan, et s'il était bien sûr qu'ils ressusciteraient au jour du Jugement, bien que n'ayant pas été déposés en terre. La plupart d'entre elles pleuraient de peur, et la petite Marie de Beauregard était si terrorisée qu'elle en hurlait dans les bras de Marie Charié.

Au milieu du tumulte, Marie n'avait qu'une pensée: se défaire des vêtements qu'elle avait portés toute la journée chez les ursulines, et se laver dans le baquet des pieds à la tête, comme si c'était Pâques et non pas la nativité de Notre-Dame qu'on allait célébrer à la messe du lendemain. Mais il était impossible de se mettre nue en présence de toutes les autres filles, aussi se contenta-t-elle de se frotter les bras à l'eau salée jusqu'à ce que la peau en fût brûlante et rouge.

Tandis que tous étaient réunis et priaient pour l'âme des religieuses, le brouillard moite qui, depuis six jours, enveloppait le navire, se déchira, les voiles frémirent et se gonflèrent, et la frégate fit un grand bond sur les vagues retrouvées. Alors, le père Bellecour entonna spontanément le *Te Deum*, et tous prirent part à l'action de grâces en pleurant.

Le vent s'étant fait plus fort, on renvoya les passagers dans leurs cabines pendant que les gabiers prenaient un ris dans les voiles. De grosses vagues saisirent la coque du navire et en firent grincer et gémir toute la charpente, comme si la frégate, en se plaignant dans la tempête, donnait le ton au concert. Car, cette fois, tous avaient la nausée, même les plus rebelles au mal de mer.

D'affreuses douleurs de ventre secouaient Marie sur sa couchette. On aurait dit que la main d'un démon tordait son corps pour en tirer toutes les humeurs. Puis, après un somme qui ne la délivra pas de la nausée, elle se réveilla brusquement sur une chaise percée, une crampe lui déchirant les entrailles. Elle avait pris le mal des longs cours!

Les jambes tremblantes, elle grimpa à l'échelle et se retrouva sur le pont. Un coup de vent la jetant à terre, elle poursuivit à quatre pattes jusqu'à la porte du premier lieutenant et y frappa en criant pour dominer le vacarme de la tempête. Elle était toujours couchée là, en pleurs et salie de diarrhée, lorsqu'il revint de sa visite aux ursulines.

Il l'emporta dans sa cabine, lui retira ses vêtements souillés, la lava et l'enveloppa dans une couverture. Elle sentait confusément que ce qui se passait était indécent et peut-être coupable, mais n'ayant pas la force de s'y opposer, elle se laissa glisser dans une froide brume d'indifférence. À travers ce brouillard, elle voyait toutefois ses yeux au regard bienveillant et entendait sa voix qui lui disait des paroles encourageantes: qu'elle était une jolie fille courageuse, et qu'elle n'avait pas le droit de faillir à présent qu'il avait besoin d'une infirmière pour l'aider. Ensuite, il lui fit boire la potion blanche comme du lait qu'il avait donnée à Catherine et aux nonnes; elle sentait la crotte de souris et avait un goût fétide, mais elle parvint à l'avaler bien que toute la cabine tournât autour d'elle. Puis elle se trouva allongée sur une couchette qui sentait l'homme, comme les vêtements des apprentis qu'on lavait dans la cour, elle revit les remparts et la ronde des oiseaux de mer au-dessus des toits de Saint-Malo, et sombra dans une eau délicieuse et lustrale qui était le sommeil.

Lorsqu'elle se réveilla, la cabine était pleine des ombres violettes du couchant, mais la tache blanche d'un morceau de papier brillait sur le petit miroir auquel il était attaché. En se levant, elle s'aperçut que le navire luttait en tanguant contre les coups de vent; le mouvement lui chatouillait un peu l'estomac, mais elle ne ressentait plus de nausées ni de crampes aux entrailles.

Le morceau de papier était un billet où elle lut: «Restez ici pendant que je suis de quart. Buvez encore un verre de potion et dormez pour guérir. Votre pays de Saint-Malo, Corentin Brouster.»

Brouster et Fils, Fournisseurs d'Équipage par Privilège Royal, lisait-on au-dessus de la grande boutique devant laquelle elle aimait passer, lorsqu'elle se promenait en ville, car, la porte étant toujours ouverte, il s'en échappait des odeurs attrayantes: huile de lampes, cordages et goudron, fumet lourd des biscuits de mer dans de gros tonneaux. C'est là que les officiers de la Marine royale allaient souvent équiper leur navire avant de partir pour un voyage au long cours; en retour, la famille Brouster donnait tous ses plus jeunes fils au service du Roy.

À l'idée qu'elle allait bientôt pouvoir parler de sa ville natale avec Corentin Brouster, Marie sourit à son reflet dans le miroir. Une fille aux pommettes hautes sous des cheveux bruns et frisés lui rendit son sourire. Elle avait des dents blanches et des yeux sans peur.

Ayant passé six mois sans miroir, Marie fut d'abord surprise de sa propre image. Puis elle reconnut le visage qui la rendait si désespérément laide à côté de sa gracieuse sœur. Face de garçon, se dit-elle à haute voix en se faisant une grimace, ce n'est pas toi qu'un homme choisira la première. Mais cela ne faisait rien, puisqu'elle était une fille courageuse et peut-être même jolie.

Il y avait, sur la malle au pied de la couchette, une pile de vêtements bien pliés: une chemise et un jupon avec les initiales de Mme Bourdon, et une large tunique à manches longues cousue à grands points de marin dans de la toile à voile. Elle s'en habilla, puis se recoucha. Elle avait tout son temps.

Elle ne voyait pas son visage en contre-jour, mais elle devinait à sa voix qu'il souriait en lui disant «bonjour». S'asseyant sur le lit, elle s'aperçut que la tempête s'était calmée et que le navire courait sur de longues vagues d'une allure vive et sûre. À présent, elle se sentait assez forte pour pouvoir l'aider. Corentin Brouster hocha la tête, et un rayon du soleil levant passant à travers le hublot colora de rouge sa barbe grisonnante.

Une fois levée, elle vit qu'il avait déjà préparé tout ce dont il avait besoin pour faire plusieurs cruchons de potion. Chacun prenant son mortier, ils se mirent à écraser des racines et du bismuth, cependant qu'il lui rapportait que le mal s'était étendu à tout le navire, et même parmi les hommes d'équipage. Il fallait faire prendre une dose de potion à tous ceux qui étaient à bord, c'est pourquoi il avait donné l'ordre au coq de bouillir quantité d'eau. Aussitôt que les malades seraient guéris de la diarrhée, ils pourraient pendant deux ou trois jours se nourrir d'une bouillie de myrtilles cuites à l'eau de mer. Il avait un plein tonneau de myrtilles sèches dans la cale, et espérait que cela suffirait.

Tandis qu'il parlait, Marie regardait la ride qui formait un profond sillon entre ses sourcils, lui donnant un air de douleur un peu effrayant. Mais lorsque, de temps en temps, il lui jetait un regard, ses yeux gris-vert étaient pleins d'une bonté triste qui lui rappelait ceux de son père lorsqu'il la regardait par-dessus ses lunettes.

Quand il y eut sur la table, devant le hublot, quatre grandes cruches de potion blanchâtre, il lui demanda si elle se sentait assez forte pour le suivre dans sa ronde. Elle ne comprit pas ce qu'il voulait dire par là, mais ne voulut pas refuser alors qu'il lui témoignait sa confiance. Elle prit une cruche et le suivit sur le pont.

Dans le quartier des Filles du Roy, les chaises percées avaient débordé au cours de la nuit, si bien qu'une mare d'excréments clapotait sur le plancher à chaque mouvement de roulis. Une odeur douceâtre de mort empuantissait l'air qu'on avait peine à respirer. Il y avait au moins une malade dans chaque couchette, et les filles qui n'étaient pas encore atteintes par le mal gémissaient en se tordant de peur à côté des premières. Assise sous la lampe qui se balançait, Mme Bourdon tremblait d'impuissance.

Le premier lieutenant prit aussitôt les choses en main. Aidé de Marie et de Mme Bourdon, il déshabilla les plus malades et les coucha sur de la paille propre dans des châlits nettoyés, tandis que quatre vieux matelots, sur son ordre, vidaient les chaises percées, emportaient les vêtements et la paille souillés, lavaient le plancher et apportaient dans la chambre des cuviers pleins d'eau de mer fraîche.

Les filles les plus atteintes se laissèrent faire sans dire mot, mais les autres priaient en pleurant Mme Bourdon de témoigner pour elles au cas où leur futur mari chercherait à savoir si jamais un autre homme avait vu leur nudité. Les autres pleuraient au moment d'avaler la potion au goût ignoble dont, n'étant point malades, elles déclaraient n'avoir nul besoin. Mais elles pleuraient surtout sur le sort des malheureuses que l'on avait dévêtues et dépouillées de leurs seuls vêtements de voyage.

Marie Charié se trouvant parmi les plus malades, sa protégée, la petite Marie de Beauregard, tournait en rond en geignant comme un chiot perdu. Bien qu'elle ne fût pas le moindrement atteinte, elle insista pour être déshabillée et lavée par le premier lieutenant, et par lui seul. Lorsqu'il refusa, elle se mit à appeler son tuteur et à implorer Mme Bourdon de ne pas l'enfermer à la cave.

Les deux personnes d'âge adulte se regardèrent d'un air gêné, et Mme Bourdon soupira qu'il était temps de marier la petite Marie, tout impubère qu'elle fût encore. Voyant la fillette qui, les deux mains pressées sur son bas-ventre, se tordait sur sa couchette en pleurnichant, Marie ne savait si elle lui faisait peur ou pitié.

Quand ils remontèrent sur le pont, quatre matelots étaient en train de placer de longs paquets recouverts de toile l'un contre l'autre sur le caillebotis qui fermait la cale. Marie allait demander au premier lieutenant ce qu'ils contenaient, lorsqu'elle sentit la pression d'une main sur son épaule, et qu'elle découvrit qu'une feuille de papier était épinglée sur chaque paquet. S'approchant, elle put lire: «Alain Le Marrec, n. 1650, mousse, R.I.P.»; «Claude de Lamballe, n. 1647, novice en la Congrégation des ursulines, R.I.P.»; «Marguerite Carduner, n. 1617, sœur converse en la Congrégation des ursulines, R.I.P.»

La main du premier lieutenant la retint dans sa chute, puis il l'aida à s'asseoir sur des cordages, le dos aux paquets recouverts de toile; et c'est là que, retrouvant peu à peu son souffle, elle se mit à pleurer doucement.

Corentin Brouster ne dit rien. Il savait qu'il n'existe pas de paroles de consolation pour ceux qui vont voir un être cher disparaître dans la mer, où il ne se trouve ni croix ni pierre tombale pour rappeler aux passants le souvenir du défunt. Il se contentait de lui caresser la main en attendant qu'elle se calme. Puis il lui demanda tout bas si elle préférait aller se coucher plutôt que de continuer à l'aider.

Elle se mit debout, tira sur la grosse toile de sa tunique de nonne et le suivit dans la cabine des jésuites. L'aîné des missionnaires, le père Bellecour, était déjà très affaibli par le mal. Mais il parvint à avaler un grand verre de potion en se gaussant de lui-même: à présent qu'il était redevenu un petit enfant qui chiait dans ses chausses et qu'on nourrissait de lait, le royaume des cieux ne tarderait pas à lui être révélé. En buvant sa potion, le plus jeune des jésuites, le père Lagrange, assura le premier lieutenant qu'il suffisait au chevet de son frère malade. Il se trouvait sûrement à bord d'autres passagers qui avaient plus grand besoin de soins que deux missionnaires en route vers le pays des sauvages algonquins.

Il y avait au moins un passager malade par cabine, et ceux qui ne souffraient pas encore de diarrhée étaient si paralysés d'épouvante qu'ils ne parvenaient même pas à défaire les patients de leurs vêtements souillés. Il y avait partout des flots d'excréments purulents, et la puanteur était insoutenable.

Chez maître Lamarre, la mère et la fille se tordaient de douleur dans la même couchette, en proie à d'horribles coliques. La belle Gabrielle, le visage tourné vers le mur, souffrait plus d'humiliation que de crampes aux entrailles. Son corps et ce qu'il y a de sale et de bas dans l'existence, tout ce qu'elle avait en horreur, l'avaient rattrapée et faisaient honte à son esprit, aussi voulait-elle plutôt mourir que de se retrouver sous les yeux de son fiancé après pareille humiliation.

Bien que maître Lamarre et Louis Clatin fussent sortis sur le pont, elle s'obstina à refuser qu'on la déshabillât. Elle ne voulait pas montrer son corps souillé au premier lieutenant, mais elle était heureusement trop faible pour empêcher Marie de la laver. Pour finir, ils durent lui faire boire la potion de force, car elle refusait d'avaler une médecine qui sentait la cave et les souris.

L'après-midi s'achevait lorsque, sales et fatigués, ils retrouvèrent la cabine du premier lieutenant. Il servit à Marie un petit verre d'eau-de-vie au goût sucré qu'il appela «rhum», et lui apprit à s'en frotter les mains avant de se mettre à préparer une nouvelle quantité de potion pour les officiers de la frégate.

Elle devait s'être endormie en écrasant des racines et du bismuth dans son mortier, car elle s'aperçut soudain qu'il y avait plusieurs personnes dans la cabine. Sur le pas de la porte, le père Lagrange parlait à voix basse avec Corentin Brouster et un autre officier, au pourpoint orné de galons d'or, qui devait être le capitaine. Elle entendait à peine ce qu'ils murmuraient, mais elle comprit, à la manière dont ils tournaient sans cesse leurs regards vers l'écoutille de la cale, qu'il devait s'agir de l'enterrement. Il semblait que le père jésuite désirait que la cérémonie fût repoussée à plus tard, lorsque le plus grand nombre possible de passagers serait en état d'y assister, mais que le capitaine et le premier lieutenant insistaient pour éloigner au plus vite les morts des vivants, et éviter ainsi la contagion.

Sur un navire, le capitaine est maître après Dieu; hommes d'Église et gentilshommes, et même le pape et le Roy en personne, avaient à se plier à son commandement, expliqua Corentin Brouster. Et, à présent, il avait décidé que les premières victimes du mal des longs cours seraient inhumées au crépuscule.

La cloche sonna, et un matelot parcourut tout le navire en soufflant dans une trompe, comme s'il naviguait par brouillard le long d'une côte. Un par un, tous les passagers valides sortirent sur le pont et se mirent sur deux rangs à côté d'une sorte de plan incliné qu'on avait placé à la hauteur du grand mât. Il y avait maintenant, sur le caillebotis, six longs paquets blancs qui attendaient.

Toutes les Filles du Roy n'avaient pas eu la force de monter sur le pont; les plus solides soutenaient les plus faibles, et toutes frissonnaient de froid dans leurs tuniques de toile à voile. Toutes les douze se serraient contre Mme Bourdon qui pleurait amèrement, parce que deux de ses filles, Henriette Levasseur et Madeleine Chabert, avaient déjà succombé, et que quatre autres semblaient trop malades pour pouvoir survivre plus d'un jour.

Quand l'équipage eut pris place de l'autre côté du plan incliné, le capitaine s'avança au milieu et déclara que, selon la coutume, c'était à lui de célébrer le service funèbre. Il pria toutefois le père Bellecour de bénir les défunts et de chanter le *Miserere* pour le repos de leur âme.

Le vieux jésuite était si malade qu'il tenait à peine sur ses jambes, bien qu'il se retînt au bras de son frère conventuel. Lentement, il prononça les noms des morts en faisant le signe de la croix au-dessus de chaque paquet blanc, puis il entonna la litanie.

Ainsi, Catherine et Marie se retrouvaient l'une près de l'autre pour dire adieu à l'être qui leur était le plus proche. À présent, le chagrin était moins lourd à porter, car, au contraire de leur père, tante Marguerite avait eu la fortune de recevoir les sacrements avant de se présenter devant son Créateur. Cependant, l'esprit de Marie se glaçait encore au souvenir de sa tante avouant en confession sa crainte que le mal secret qu'elle portait fût cause de la peste qui frappait tout le navire. Bien que Corentin Brouster l'assurât que, propre aux longs voyages, l'épidémie apparaissait toujours lorsqu'ils étaient à mi-chemin du Canada, elle ne pouvait empêcher l'angoisse de s'emparer de son âme.

Un par un, les paquets blancs furent placés sur le plan incliné; le capitaine prononçait le nom du défunt en jetant une poignée de terre sur l'enveloppe de toile, puis deux matelots s'avançaient pour soulever la planche et faire basculer par-dessus le bastingage le corps qui tombait les pieds devant dans la mer. Un instant plus tard, il disparaissait dans l'eau noire, car on avait mis une pierre de lest au bas du paquet pour l'entraîner au fond.

En redescendant dans l'entrepont, Marie continuait à entendre un froissement d'étoffe, comme si le bruit des corps glissant sur le plan incliné avant d'être avalés par les vagues la pourchassait. Elle souffrait de l'absence de Catherine qui avait suivi les ursulines dans leur cabine, et se sentait inutile auprès des autres filles parmi lesquelles le mal continuait ses ravages, atteignant même celles qu'il avait jusqu'alors épargnées. Elle comprenait, au degré de puanteur qui régnait, que les chaises percées avaient encore débordé, mais elle était trop fatiguée pour remonter sur le pont et appeler à l'aide le premier lieutenant.

Puis elle se trouva soudain dans la cabine de Mme Bourdon, en train de manger une bouillie salée de myrtilles, et la Bonne Bergère lui dit en souriant qu'elle avait été si courageuse tout le jour qu'elle allait, ce soir, avoir le droit de partager sa couchette et de dormir tranquille.

Ici, tout était calme, on n'entendait personne gémir ou pleurer, et pourtant Marie ne parvenait pas à s'endormir. Il fallut qu'elle se levât et qu'elle se traînât jusqu'à sa couchette pour retrouver les *Essais* de Montaigne, qu'elle avait cachés dans la paille et qui risquaient d'être souillés de diarrhée et jetés à la mer.

Comme en proie à la fièvre, elle se mit à chercher son livre, tournant et retournant paille et couvertures sans le trouver. Désespérée, elle s'assit sur sa malle; alors, le souvenir lui revenant soudain, elle se mit à rire tout haut. C'était en effet dans sa malle qu'elle avait rangé son trésor, le chef-d'œuvre de son père en petit romain. Elle avait oublié qu'elle l'avait mis à l'abri aussitôt qu'elle avait ressenti les premières douleurs d'entrailles. À présent, elle se laissait bercer par les vagues en se réjouissant de pouvoir raconter à maître Lamarre, dès que le danger serait passé, comment elle avait sauvé Montaigne d'une fin indigne.

Le lendemain matin, les matelots emportèrent les corps de deux autres Filles du Roy, les enveloppèrent de toile à voile et les placèrent sur le caillebotis. Mme Bourdon, tout éplorée, épingla un nom sur chacun des paquets, puis elle se mit à côté de Marie pour prier Dieu de donner à Judith Masson, née en 1646 et à Élisabeth Clément, née en 1650, le repos éternel en son paradis. Il y avait encore dans l'entrepont quinze

filles malades en dépit de la potion du premier lieutenant, et, parmi elles, deux malheureuses qui semblaient près de la mort.

La seule qui eût jusqu'alors évité la contagion était
la petite Marie de Beauregard, comme si elle jouissait
de quelque protection surnaturelle. Il fallait espérer
que ce fût celle d'un bon ange, murmura Mme Bourdon en se signant. Car, malgré son jeune âge, la fillette
était si engouée du sexe fort que ni semonces ni puni-
tions n'étaient parvenues à la guérir de son coupable
penchant. Mais puisque son tuteur, qui était chanoine
à Saint-Germain-de-Charonne et, de plus, un exorciste
de renom, se portait garant de son innocence, il n'y
avait pas lieu de s'alarmer.

Elles étaient encore en proie à l'inquiétude, se
demandant si le démon, non content de s'être emparé
du corps de la petite fille, était en train de prendre possession de toute la frégate, quand le premier lieutenant
sortit du quartier de l'équipage, précédant quatre
matelots qui portaient deux cadavres. Les deux nouveaux paquets blancs furent placés à côté des premiers,
et Marie put lire les noms épinglés sur la toile: «Romain
Leroy, n. 1637, coq, R.I.P.» et «Albin Menez, n. 1641,
matelot, R.I.P.»

Il y avait parmi l'équipage de nombreux malades, si
bien que Corentin Brouster avait perdu deux de ses
aides requis par le service ordinaire. C'est pourquoi il
dut demander à Mme Bourdon et à la sœur de Marie de
l'aider à soigner les malades, tant dans l'entrepont que
dans le gaillard d'arrière.

Sœur Isabelle et sœur Agnès se sentaient assez réta-
blies pour pouvoir se joindre à eux, mais la règle de
leur ordre leur interdisait le commerce des hommes, à
part leur prêtre et confesseur. Elles acceptèrent toutefois de laisser Catherine les suivre, bien qu'elle eût

abandonné ses vêtements mondains pour l'habit d'ursuline.

C'est ainsi que Marie apprit que sa sœur avait décidé de remplacer leur tante dans la congrégation. Ce qui restait de ses beaux cheveux, déjà coupés, était caché par la guimpe blanche qui faisait paraître son visage étroit et cireux, comme celui de tante Marguerite lorsque, transfigurée, elle attendait la mort.

Sous l'habit d'ursuline, Catherine était, d'un coup, devenue inaccessible. Jamais plus Marie ne pourrait lui confier ce qu'elle pensait et ressentait, jamais Catherine ne répondrait aux questions qui lui embrumaient l'esprit et lui emplissaient la gorge de larmes: pourquoi avait-elle choisi de mourir au monde plutôt que de tenir son contrat, pourquoi avait-elle abandonné la seule parente vivante qu'elle eût encore, sa petite sœur Marie?

Tout le jour, tandis qu'elles allaient côte à côte d'un malade à l'autre, les lavant et les aidant à boire la potion à l'odeur de souris, Marie fut contrainte d'avaler son chagrin. Dans l'après-midi, alors qu'elles venaient de s'asseoir pour manger un peu de bouillie aux myrtilles, Louis Clatin arriva tout en émoi pour quérir de l'aide. Chez eux, la mère se rétablissait, mais la fille avait fait une rechute et s'affaiblissait d'instant en instant.

La belle Gabrielle, les mains jointes sur la poitrine, était pâle et raide sur sa couchette comme un gisant sur une pierre tombale. Son souffle était imperceptible et son pouls très faible. Elle était couchée ainsi depuis une heure, comme si elle attendait la mort, et ni son père ni son fiancé ne parvenaient, par leurs prières, à lui faire ouvrir les yeux ni dire un mot.

En vraie précieuse, elle ne voulait plus vivre dans un monde où la beauté se laisse souiller par d'immondes maladies, se dit Marie en éclatant en sanglots. Elle pleurait si violemment que ses épaules en étaient secouées, car ce n'était plus seulement Gabrielle qu'elle pleurait, mais aussi Élisabeth, Judith, Madeleine, Catherine et toutes les autres belles filles du monde que la mort ou le couvent avaient arrachées aux vivants.

Elle pleurait encore, au couchant, lorsque l'équipage et les passagers se rassemblèrent une deuxième fois près du grand mât pour assister à une nouvelle inhumation. Bien que malade, et même si faible qu'il devait s'appuyer au bras d'un matelot, ce fut le père Lagrange qui chanta le *Miserere*. Son frère conventuel, le père Bellecour, était si affaibli qu'il allait sans doute passer avant la fin de la nuit.

Tout le jour, le temps avait été lourd et calme, mais la brise se leva tandis que le capitaine célébrait le service funèbre, et il se mit à tomber une petite pluie qui sentait le goémon et le sable chaud de soleil. Marie se sentit tout d'un coup plus légère, comme si tout ce qui lui pesait sur le cœur était lavé et emporté par cette douce pluie qui lui rappelait la fin de l'été à Saint-Malo.

Ce n'était pas seulement des souvenirs du pays natal qu'apportait le vent d'ouest, mais aussi l'odeur du Nouveau Monde qui n'était plus très éloigné, lui dit Corentin Brouster. À présent, la ride qui d'ordinaire se creusait entre ses sourcils avait disparu, et sa bouche entourée de barbe grisonnante s'ouvrait en un sourire de marin à demi édenté. Si le bon vent continuait, ils atteindraient la pointe extrême du Canada dans cinq ou six jours.

Et, Dieu soit loué! il en était grand temps, car il avait à peine assez de bismuth et de simples pour suffire à ce voyage. Si jamais l'épidémie reprenait pendant le voyage de retour, il serait obligé de se servir d'une drogue chinoise qu'il avait, l'année précédente, achetée à un médecin de marine hollandais. Elle s'appelait

opium et avait, selon le Hollandais, des propriétés so-
porifiques et astringentes, mais aucun des livres qu'il
connaissait n'en faisait mention. Il s'en était lui-même
servi une fois, et avec le meilleur résultat possible,
lorsqu'il avait été atteint du mal pendant le voyage de
l'année précédente.

Mais il hésitait à donner une médecine inconnue,
et par surcroît païenne, à des chrétiens dont la guéri-
son ou la mort étaient, de toute façon, déterminées
d'avance. Ainsi que tous les médecins de marine le
savaient d'expérience, ce n'était pas la malignité de
l'épidémie qui décidait de l'issue, mais l'état du patient
avant que ne se déclare le mal; ceux qui étaient de
constitution forte survivaient, les malheureux autres
succombaient.

Ils étaient de nouveau dans la cabine du premier
lieutenant; tout en buvant un verre de rhum à toutes
petites gorgées, Marie pilait des racines et du bismuth
dans son mortier. Les derniers rayons rouges du soleil,
reflétés par le petit miroir accroché au mur, traver-
saient les jarres en verre où il ne restait presque plus de
simples. Elle était indiciblement lasse, si épuisée
qu'elle ne supportait pas l'idée d'avoir à se traîner sur
le pont pour redescendre au quartier des Filles du Roy;
elle aurait préféré s'allonger auprès de lui sur sa couchette, sentir son odeur d'homme, le picotement de sa
barbe et la chaleur de ses bras qui feraient naître dans
tout son corps des frissons de douceur.

Elle ressentit tout cela comme en rêve, tandis qu'il
la portait dans ses bras jusqu'à la cabine de Mme Bourdon.

Pour la troisième fois, équipage et passagers étaient
rassemblés autour des paquets blancs qui allaient bientôt basculer et tomber dans la mer. C'était pour deux
hommes et trois femmes qu'on allait ce soir chanter le

Miserere: «Gabrielle Lamarre, n. 1646, fille nubile»; «Jeanne Sénéchal, n. 1645, fille nubile»; «Charlotte Dumesnil, n. 1643, fille nubile»; «Charles Aubert, n. 1642, valet»; «Mathieu Bellecour, n. 1624, prêtre en la Congrégation de Jésus.»

«*Requiescant in Pace*», chanta le père Lagrange d'une voix forte pour couvrir les lamentations plus déchirantes que jamais qui s'élevaient de l'assistance. Car s'ils pleuraient la perte des quatre jeunes gens, la mort du vieux prêtre les emplissait d'une terreur sans bornes, comme s'ils y voyaient le signe que Dieu s'était détourné d'eux et de leur projet d'atteindre le Nouveau Monde.

La malheureuse Mme Lamarre pouvait à peine se tenir debout entre son mari et Louis Clatin. Elle n'était pas encore complètement rétablie du mal, et la mort de sa fille semblait la vider des dernières gouttes de sang vif qu'elle contenait encore. Le visage de l'imprimeur était bouffi de larmes et d'insomnie, et ses yeux sans éclat se tenaient fixés sur les vagues lisses qui venaient d'engloutir Gabrielle. Louis Clatin ne pleurait pas, mais ses traits s'étaient figés dans une expression d'étonnement douloureux, et son regard semblait mort.

Marie avait envie de courir vers eux pour les consoler, mais elle ne pouvait pas abandonner Mme Bourdon. Les deux derniers décès avaient désolé la Bonne Bergère. Le soir précédent, il avait semblé que toutes les malades allaient se rétablir; dans un élan de joie trop hâtive, les Filles du Roy et elle avaient rendu grâce à Dieu et à sa Sainte Mère de les avoir épargnées de mourir du mal des longs cours. Mais, pendant la nuit, Jeanne et Charlotte avaient fait une rechute, et, au matin, elles étaient mortes presque en même temps, et si vite que le père Lagrange n'eut pas le temps de leur donner à toutes deux l'extrême-onction.

Et, à présent, il ne restait plus que dix-neuf Filles du Roy dans l'entrepont. Affaiblies par l'épidémie, elles se sentaient toutes mal à l'aise dans les tuniques de toile que leur avait données le premier lieutenant quand on avait dû jeter par-dessus bord leurs vêtements souillés. Pour la plupart, la perte de ces hardes était un véritable malheur, car c'était là l'unique fortune qu'elles emportaient au Canada. M. Lamaury, le marchand, avait, il est vrai, promis à chacune d'elles une pièce de calicot pour s'en faire un jupon et une paire de chemises, dès qu'il pourrait descendre dans la cale pour y chercher ses ballots d'étoffe, mais elles craignaient qu'il n'oubliât sa promesse à peine aurait-il mis pied à terre.

Celles qui étaient mortes laissaient sur terre des effets qu'il fallait distribuer parmi les plus pauvres. Mme Bourdon ouvrit les six malles et en posa le contenu sur la grande table. Dix filles s'en approchèrent lentement. D'abord timides et raides, elles se contentèrent de contempler le trésor avec vénération: chaussures, basquines et corps de cotte, jupons et cottes, châles, bonnets et cols de batiste, un chapeau de feutre noir et deux robes de velours qui avaient appartenu à Henriette et à Judith. Peu à peu, la réserve fit place à l'impudence, les yeux s'emplirent d'avarice, et, avant que personne n'eût pu le deviner ni l'arrêter, les filles en étaient venues aux mains pour s'approprier les dépouilles de leurs compagnes.

Marie se tint éloignée de la bataille, car, munie des dix livres de marraine Angélique et de ce que contenait sa malle, elle était parmi les plus riches. Et plus encore à présent que lui revenaient les effets mondains auxquels Catherine avait renoncé en prenant l'habit d'ursuline. Les dix livres et la montre-horloge en cuivre et bois de noyer, cadeau des artisans de Saint-Malo, étaient tout ce qu'elle emportait au couvent en guise de dot. Celle-ci n'était pas forte, mais suffisante pour une sœur converse qui, dans l'avenir, serait chargée de soigner les malades du couvent, et peut-être d'enseigner à lire aux plus jeunes enfants de l'école, école que la congrégation venait de fonder.

Les chamailleries des filles et les réprimandes de Mme Bourdon rendaient l'air si âpre à respirer que Marie dut s'enfuir sur le pont. On était au milieu du jour, le soleil brillait, mais le vent semblait contenir des pointes qui lui écorchaient le visage et les mains. Serrant son châle autour de ses épaules, elle comprit que l'automne arrivait.

À tribord, la mer était agitée, comme si une main invisible en fouettait la surface. «Baleines!» cria le matelot dans le nid-de-pie, le bras tendu vers le nord; mais seuls deux passagers coururent au bastingage pour voir les poissons bibliques culbuter dans les vagues en soufflant des colonnes d'eau droit vers le ciel.

C'était la première fois que Marie se trouvait seule avec Louis Clatin, et elle en était paralysée de timidité. D'un œil discret, elle regarda le profil grave que le deuil de Gabrielle avait creusé d'un sillon amer au coin des lèvres. De nouveau, elle ressentit le désir de lui prendre la main pour lui dire quelque parole de consolation, mais n'osa ni s'approcher ni ouvrir la bouche.

Longtemps ils restèrent ainsi, à la fois trop loin l'un de l'autre pour se donner la main ou échanger un regard, et trop près pour se rapprocher d'un seul pas. Ils observaient simplement les animaux marins qui suivaient le navire, eux qui semblaient ne sortir le museau de l'eau que pour venir les fixer de leurs petits yeux de cochon.

Soudain, Corentin Brouster se trouva entre eux, montrant du doigt un vol d'oiseaux de mer qui tournaient au-dessus des cétacés. «Dans cette partie de l'océan, il y a force poissons. Les goélands et les baleines

y sont comme en pays de cocagne», dit le premier lieutenant en riant.

La frégate avait donc atteint l'extrémité des grands
bancs où les bateaux venaient jusque de Bretagne pour
pêcher la morue.

Le Nouveau Monde n'était plus qu'à deux jours de
distance.

«Nous avons traversé l'océan», dit Marie avec recueillement, et Louis la regarda en hochant la tête.

CHAPITRE 6

Escale à Saint-Pierre

Le ciel résonnait de cris d'oiseaux, et le navire était immobile. «Nous sommes arrivées!» s'écrièrent les Filles du Roy en se réveillant. Jamais, de ces huit semaines, n'avaient elles mis autant de hâte à s'habiller que ce 28 septembre. Vêtues de leurs plus beaux atours, elles se précipitèrent sur le pont pour assister à la sainte messe.

Pour la première fois depuis le départ, l'autel était décoré de verdure: branches de genévrier, feuillage d'automne et des fleurs jaunes qui ressemblaient à la tanaisie, les plus belles que Marie eût jamais vues. C'étaient deux pieux matelots qui, se hâtant vers le port d'escale aussitôt qu'on avait jeté l'ancre, les avaient rapportées, raconta le père Lagrange avant d'entonner l'hymne d'action de grâces à Dieu qui avait mené leur petit troupeau au calme de ce havre.

Après la messe, tous les passagers restèrent sur le pont pour contempler la côte que les Français appelaient Terre-Neuve et les Anglais, Newfoundland. Devant eux s'étendait l'île de Saint-Pierre dont les falaises basses, entrecoupées de petites criques sableuses, rappelaient les grèves de Saint-Malo. Plus loin, se dressaient de hautes collines qui disparaissaient vers le nord dans un brouillard bleuâtre. Dans le vent frais du début d'automne, les couleurs luisaient comme si Dieu venait de les créer, et, sous la frégate, l'eau était plus claire que dans aucun autre port.

Ainsi est le Nouveau Monde, expliqua le père Lagrange, comme une réminiscence du septième jour, quand Dieu vit tout ce qu'il avait fait et jugea que c'était très bon. Aussi Christophe Colomb avait-il eu raison de croire en touchant l'Amérique, qu'il était arrivé au jardin d'Éden. Ce monde pur et sans tache, les colons ne devaient pas le souiller en troquant de l'eau-de-vie contre des fourrures avec les naïfs Algonquins; il leur fallait au contraire devenir pour eux de vivants exemples de foi en Dieu.

Les sœurs Carduner se tenaient de nouveau l'une près de l'autre; Marie sentait toutefois confusément qu'elles étaient devenues comme deux étrangères, c'est pourquoi elle n'osa même pas prendre la main de Catherine dans la sienne pour partager avec elle la joie de ce jour de triomphe. Elle n'osa pas non plus rappeler à sa sœur comment on fêtait la Saint-Michel dans leur ville natale: après la messe, jeunes et vieux descendaient sur une grève qui ressemblait à celle-ci, pour ramasser des crabes et des coquillages dans le goémon des rochers découverts par la marée basse. À la maison, le soir, ils en faisaient une soupe, et la mangeaient en l'honneur du saint qui avait donné son nom au golfe au bord duquel ils vivaient. L'odeur du sable humide et le goût puissant de la soupe lui revenant subitement, elle fut soudain saisie de désespoir, car elle savait qu'il n'y avait à présent plus personne avec qui elle pût partager ce souvenir. Entendre sœur Isabelle appeler Catherine en lui montrant du doigt l'écoutille de leur cabine fut pour elle une délivrance autant qu'une douleur.

Maître Lamarre et sa femme se tenaient à l'écart, comme s'ils ne se sentaient pas le courage de regarder la côte que la Providence n'avait pas laissé leur fille atteindre avec eux. Marie était dans l'embarras, ne sachant si elle pouvait aller les saluer ou non, lorsqu'ils l'aperçurent et lui firent signe d'approcher.

Auparavant robuste, Mme Lamarre était devenue pâle et maigre, et elle éclata en sanglots lorsque Marie lui fit la révérence. Des larmes dans la voix, maître Lamarre l'excusa en disant que la douleur que leur avait causée la mort de leur fille se ravivait à la vue d'une jeune personne dont Gabrielle pensait le plus grand bien. Cependant, ni sa femme ni lui-même ne devaient se laisser aveugler par le chagrin au point d'oublier les bons soins que Marie leur avait prodigués pendant l'épidémie.

Prenant les mains de Marie, les époux se mirent à lui dépeindre la ruine de tous leurs espoirs. En leur arrachant Gabrielle, unique raison de donner à leur famille un meilleur avenir dans le Nouveau Monde, le mal des longs cours leur avait aussi retiré force et résolution. Désormais ils ne supportaient plus l'idée de s'établir colons sur les terres de leur parent; tout ce dont ils se sentaient encore capables, c'était d'acheter une petite maison à Québec et d'y ouvrir un atelier d'imprimerie et une librairie. Ce qui, dans leurs projets, ne devait être qu'une occupation secondaire, allait ainsi devenir le centre de leur vie.

Malheureusement, Louis Clatin ne souhaitait pas partager cette voie, maintenant qu'il ne pouvait plus devenir leur gendre. Il voulait plutôt s'adonner, pendant quelques années, à la vie de chasseur, avant de revenir terminer son apprentissage à l'imprimerie, car il n'avait pas encore obtenu son brevet de compagnon. En fait, il en savait bien moins que Marie sur l'art d'imprimer. Il n'avait été apprenti chez maître Lamarre qu'une seule année, assez longtemps toutefois pour conquérir le cœur de Gabrielle, lorsqu'on leur avait offert d'acheter une terre au Canada. Louis avait fait lui-même un petit héritage qu'il proposa de joindre à leurs biens, et c'est ainsi qu'ils s'étaient embarqués tous les quatre comme une famille heureuse.

Les regards embarrassés qu'échangèrent les époux firent battre plus vite le cœur de Marie, car ils semblaient lui annoncer ce qu'elle allait entendre. Mais lorsque maître Lamarre dit enfin ce qu'elle savait qu'il allait dire, elle fut si hébétée de bonheur qu'elle en perdit la parole. Les joues en feu et les yeux pleins de larmes, elle dut se contenter de hocher une ou deux fois la tête, avant de détourner le visage pour cacher son émoi.

Ensuite, elle dut descendre dans l'entrepont pour y être seule. Elle ne supportait pas de rester sur le pont auprès des autres Filles du Roy, qui jouaient à la paume avec de grands cris de mouettes, car elle ne se considérait plus comme l'une des leurs. Se sentant coupable de trahison, elle se demandait ce qu'en allait penser Mme Bourdon.

Elle sortit les *Essais* de Montaigne de sa malle et se mit à les feuilleter dans l'espoir d'y trouver le secours d'une parole. «De l'inconstance de nos actions» était le titre du chapitre qui semblait le mieux convenir, se dit-elle avec ironie; puis elle s'assit au milieu de l'échelle, le livre à la main.

«Notre façon ordinaire, c'est d'aller après les inclinations de notre esprit, à gauche, à droite, contremont, contre-bas, selon que le vent des occasions nous emporte. Nous ne pensons ce que nous voulons qu'à l'instant où nous le voulons, et changeons comme cet animal qui prend la couleur du lieu où il couche. Ce que nous avons à cett' heure proposé, nous le changeons tantôt et tantôt encore retournons sur nos pas; ce n'est pas que branle et inconstance. Nous n'allons pas; on nous emporte, comme les choses qui flottent doucement, ou avec violence, selon que l'eau est ireuse ou bonasse. Chaque jour nouvelle fantaisie, et se meuvent nos humeurs avec les mouvements du temps.»

Comme un bouchon sur les vagues, elle avait flotté de la maison de son père au château de Jagu, de là au couvent des ursulines, de là à l'hôtel Pontorson, de là à l'hôpital, de là à un chariot cahotant sur le chemin de Dieppe, de là encore à une frégate en route vers le Canada, et aucun de ces mouvements n'était le fruit de sa volonté propre, tout avait été décidé par d'autres, sans qu'on lui demandât ce qu'elle souhaitait. Elle avait accepté de devenir Fille du Roy, elle avait elle-même signé son contrat, mais c'étaient son tuteur, maître Pontorson, et marraine Angélique qui l'y avaient poussée, parce qu'ils croyaient voir là son bien. Et aussi pour se débarrasser au plus vite d'elle et de Catherine.

Voici que son aînée avait rompu son contrat pour se faire ursuline. Était-ce sœur Isabelle qui l'en avait pressée, ou bien avait-elle fait ce choix d'elle-même, par respect pour le souvenir de tante Marguerite et par amour pour Dieu?

Pourquoi Marie avait-elle accepté de lier son avenir à celui des Lamarre, à titre d'aide et de fille adoptive? Était-ce seulement par pitié pour eux, lorsqu'ils l'avaient priée de combler un petit coin du vide laissé par Gabrielle? Non, certes, elle n'était pas assez charitable pour avoir accepté seulement pour leur faire plaisir. C'était l'imprimerie qui l'avait convaincue, la possibilité d'apprendre le métier et de l'exercer jusqu'à la fin de ses jours, la possibilité d'imprimer et de vendre des livres, peut-être même par privilège royal, bien qu'elle ne fût point un homme, mais seulement Marie, fille cadette de feu Pierre-Étienne Carduner.

Elle savait bien que les Lamarre, en l'attachant à eux, espéraient que Louis Clatin reviendrait un jour pour l'épouser et reprendre l'imprimerie dont il allait partager avec eux la propriété. Pourquoi pas? S'il lui fallait un jour se marier, pour cultiver la terre d'une pauvre ferme, elle préférait que ce fût avec lui plutôt qu'avec un soldat libéré qu'elle ne connaissait même pas.

En disant oui, elle faisait plaisir aux époux Lamarre, c'était fort bien, mais elle se faisait surtout plaisir à elle-même. C'était là toute la charité chrétienne qui avait décidé de son choix. Il faudrait qu'elle en demande pardon à Dieu dans sa prochaine confession. Mais du moins était-elle fixée sur son insuffisance; grâce à Montaigne, elle ne pourrait jamais plus s'imaginer plus noble d'âme qu'elle ne l'était vraiment. Ainsi, avec l'aide de Dieu, elle saurait aussi éviter d'être hypocrite et de le faire croire aux autres, et c'était un péché de moins à commettre.

Marie se gaussait tout bas de ses pensées quand elle entendit Mme Bourdon: «Je savais vous trouver ici avec votre livre», lui dit la Bonne Bergère en s'asseyant deux marches plus haut qu'elle sur l'échelle, comme si elle n'était elle-même qu'une Fille du Roy.

Maître Lamarre venait de lui apprendre la bonne nouvelle, qui lui avait causé une très vive joie, car le bien de ses filles était son plus grand souci. Même si toutes n'allaient pas tout de suite combler le souhait de M. Colbert, qui était comme on sait de les voir mariées et enceintes, elles allaient du moins enrichir la Nouvelle-France de leur travail quotidien, et renforcer la sainte Église par leur simple présence parmi les païens. Cela valait bien la traversée sur une frégate royale. En ne se mariant pas aussitôt, elles épargnaient d'ailleurs à l'État de débourser un cinquante livres qu'il avait à peine les moyens d'accorder, tant il y avait de filles qui s'étaient laissé tenter par le Canada, alors qu'elles étaient aussi peu faites pour devenir femmes de fermier qu'elle, Mme Bourdon, l'était de devenir chanoine.

Vive et assurée dans sa robe verte, Mme Bourdon semblait avoir trouvé de nouvelles forces en arrivant à Saint-Pierre. Le sang coulait plus librement dans ses veines parce qu'elle était revenue dans sa patrie.

Dans le Nouveau Monde, où l'air était plus pur et l'eau plus claire, les hommes ne pouvaient pas éviter d'être plus forts et plus libres d'esprit que dans l'Ancien. Dans ce pays où un reflet du jardin d'Éden illuminait encore la création, le joug du péché originel devait sans doute être plus léger à porter. C'est pourquoi Mme Bourdon et les deux marchands de Québec, qui n'appartenaient pourtant qu'au Tiers État, portaient si haut la tête et parlaient avec tant d'aplomb. Ici, l'ordre de l'Ancien Monde ne comptait plus autant, et tout était possible!

Soudain, Marie fut emplie d'un bonheur si extrême que sa vue se brouilla. Se cachant le visage contre les genoux de Mme Bourdon, elle laissa la reconnaissance déborder de son cœur et de sa bouche. Riant et pleurant tour à tour, la petite ne savait pas quel nom donner aux sentiments contraires qui bouillonnaient en elle. Marie pleurait parce qu'elle sentait, comme une légère pression, la main de Mme Bourdon sur sa nuque, et riait en entendant les autres filles s'ébattre à quelques pieds au-dessus de sa tête.

Tout à coup, les rires se firent cris de joie, et Mme Bourdon dit en se levant: «On va servir de la soupe de poisson frais.»

Après deux mois de pois au lard ou de bouillie de myrtilles, le poisson n'était plus un plat de carême, mais un mets de fête, aussi tous se pressèrent-ils autour du chaudron fumant qu'apportait le nouveau coq. Toutes les Filles du Roy jouèrent les Chats de Saint-Malo, miaulant à qui mieux mieux tandis qu'on emplissait leurs écuelles. Puis elles se mirent à manger du poisson et à cracher des arêtes comme si elles ne s'étaient jamais moquées des sœurs Carduner. La chair blanche et ferme de ce que le coq appelait morue ne ressemblait en rien au poisson sec et salé du même nom que l'on servait le mercredi des Cendres. Marie n'avait jamais mangé quelque chose d'aussi délicieux.

Tandis que les filles s'amusaient à se lécher les moustaches comme des chats, un matelot parut sur le pont, un petit tonneau sous le bras. Derrière lui venait le premier lieutenant, qui portait un panier plein de petits gobelets en verre grossier. Il salua les passagers de la part du capitaine: en l'honneur de la Saint-Michel, et pour fêter leur arrivée dans le Nouveau Monde, on allait leur servir un verre de rhum à boire à la santé du Roy. Ensuite, le gabier Beauchamp jouerait de la vielle pour les faire danser.

La plupart des Filles du Roy avaient goûté à l'eau-de-vie, qui servait de médecine dans tous les hôpitaux, et en détestaient le goût âpre. Aussi est-ce d'un œil méfiant qu'elles regardaient les autres passagers s'avancer un par un, prendre un petit verre des mains du premier lieutenant, l'élever à bout de bras vers l'est, puis le vider d'un trait avant de crier: «Vive le Roy!» Quand ce fut le tour de Mme Bourdon, les filles s'approchèrent pour renifler l'odeur du breuvage en chuchotant. Ce n'est que lorsque Marie leur assura que le rhum avait un goût aussi doux que le miel de bruyère, et leur donna le bon exemple en vidant son verre d'un trait, qu'elles osèrent enfin y goûter. Ensuite, elles se jurèrent en riant de ne jamais vendre de rhum aux Algonquins, car ce précieux breuvage était si bon qu'elles le garderaient pour elle et leur époux.

«Mon mari et moi, nous boirons du rhum tous les soirs et serons très heureux», chantonnait la petite Marie de Beauregard d'une voix mal assurée d'enfant. Elle avait des taches rouges sous les yeux qui brillaient de fièvre sous le front trop pâle. Assise sur le caillebotis, Marie Charié pleurait, comme si la griserie, en lui rappelant le souvenir de son mari et de son enfant défunts, avait ranimé son chagrin une dernière fois, avant qu'elle ne les oubliât à jamais. Anne Rousselin, pour la consoler, lui caressait la tête, mais cela ne l'en faisait que pleurer davantage; autour d'elle, d'autres filles, gagnées par ses larmes, se mirent à leur tour à pleurnicher avec ou sans raison.

Alors retentit dans la coursive du gaillard d'arrière la voix rauque d'une vielle, et, soudain, le sonneur apparut. C'était un matelot de haute taille en uniforme bleu roi, coiffé d'un chapeau de feutre et chaussé de sabots. Derrière lui arrivèrent bientôt tous les autres matelots et sous-officiers, tous également en uniforme et en sabots. Ils se mirent à danser, d'abord en rond, puis deux par deux comme si c'était la gavotte, puis un par un et encore en rond. «Trapptrapptrapp», chantaient les sabots sur le pont en faisant résonner la cale comme un gigantesque tambour. Leur danse était à la fois si puissante et si gracieuse que tous regardaient bouche bée sans songer à s'y joindre.

Ils dansèrent ainsi jusqu'à ce que le soleil couchant fît scintiller les tuiles des quelques maisons qui formaient le village de Saint-Pierre. Alors ils se retirèrent, toujours en frappant des pieds d'un air fier, une forte odeur de sueur d'homme derrière eux, et le silence qui se fit sembla presque terrible. Peu après, le gabier Beauchamp reparut et se mit à jouer une bourrée. Les jeunes filles se prirent par la main et commencèrent à danser. Celles qui connaissaient le mieux les pas, comme Perrine de la Pierre et Marie Mulois, menaient la ronde, et les autres suivaient du mieux qu'elles le pouvaient. Bientôt, les autres passagers ne voulurent plus se contenter de regarder, mais se joignirent aux danseuses, un peu au hasard, si bien que M. Sabatier, le marchand de drap, se retrouva tout à coup mêlé aux femmes et dut faire la révérence à Anne Tavernier, à la grande joie de tous les autres.

Marie n'avait jamais aimé danser; elle ignorait les pas et se sentait gauche parmi les élégantes d'un bal. Aujourd'hui, du moins, elle n'avait rien à craindre, car les autres n'en savaient pas plus qu'elle. Comme il lui semblait soudain facile de se laisser mener par le rythme, de changer de pied et de tourner, il suffisait de se laisser porter par la musique, comme la frégate par les vagues!

Elle ne voulait pas penser à Catherine, confinée dans la cabine des nonnes, et qui entendait leurs pas au-dessus de sa tête, Catherine qui aimait tant danser du temps où elles vivaient encore au pays natal. Elle ne voulait pas voir Louis Clatin appuyé à la rambarde, qui regardait d'un air de reproche tous ceux qui n'avaient pas perdu leur bien-aimée et avaient ainsi le droit de fêter l'arrivée. Elle ne voulait plus penser au malheur et à la mort.

Elle était dans un nouveau monde. Tout ce qui lui était arrivé avant la proposition de maître Lamarre, elle voulait à jamais l'oublier.

Une nouvelle vie commençait.

CHAPITRE 7

Un nouveau monde

Depuis deux jours, la frégate et ses passagers s'avancent dans un immense estuaire sans voir d'autre terre que quelques écueils plats, à bâbord, et le sommet onduleux de ce qui doit être Anticosti, la grande île que Jacques Cartier découvrit lors de son premier voyage en Amérique. Hier soir, le premier lieutenant leur a dit qu'ils allaient en suivre la côte pendant au moins vingt heures, car elle est aussi longue que la Bretagne.

Tout est si grand, ici!

Les Filles du Roy ne parviennent pas à concevoir que Québec est si éloigné de Saint-Pierre. Elles vont et viennent sans but sur le pont, se plaignant que le voyage doive encore durer un ou deux jours. Parfois, l'une ou l'autre s'assied à l'écart, les mains sur les genoux et les yeux fermés, et il arrive qu'elles se mettent à frissonner ou qu'elles éclatent en sanglots, car la pensée que le mari inconnu pour lequel elles ont traversé l'océan va bientôt les emmener dans une maison inconnue et les mettre enceintes les emplit d'une terreur sans bornes. Alors, elles voudraient que le voyage ne prît jamais fin.

Souvent, Mme Bourdon les rassemble pour leur donner conseil quant à la sélection d'un futur mari.

Elles ont en effet la fortune extraordinaire de pouvoir élire elles-mêmes l'homme qui partagera leur vie. Pareille liberté ne leur aurait pas été donnée si elles étaient restées au pays natal: là, leur père ou leur tuteur aurait choisi pour elles, et il leur aurait bien fallu se plier à sa volonté.

À présent, elles doivent se montrer dignes de la liberté qui leur est accordée, en ne se laissant point séduire par les beaux traits d'un visage ou quelques propos flatteurs. La seule beauté qu'il leur faille chercher chez les hommes qu'elles vont bientôt rencontrer est un dos large et droit, une bouche pleine de bonnes dents et, si possible, des yeux au regard doux. Mais avant même de *regarder* un homme, elles doivent lui demander s'il a construit une *maison* sur sa terre. En Nouvelle-France, les maisons ne sont sans doute que des chaumières aux murs de bois, mais on y est bien au chaud lorsque souffle la bise d'hiver. Elles ne doivent en aucun cas suivre un homme qui n'aurait qu'une cabane à leur offrir, mais plutôt attendre qu'il ait construit une maison ou en choisir un autre.

Bien qu'ils ne la concernent pas, Marie écoute volontiers les conseils de Mme Bourdon. Elle n'a pas encore parlé aux autres Filles du Roy de la proposition de maître Lamarre ni de l'imprimerie, car elle veut jusqu'au bout être comme l'une d'elles. Elles sont d'ailleurs si accoutumées à la voir s'entretenir avec Louis Clatin et le vieux couple, qu'elles ne s'étonnent pas qu'elle passe presque tout son temps libre sur le pont en leur compagnie.

La conversation avec le fiancé de la défunte Gabrielle est pour elle source de trouble autant que d'amusement. À peine Louis a-t-il énoncé une idée qu'il la met en doute, pour la défendre de nouveau l'instant d'après. Des heures durant, il est capable d'argumenter pour ou contre une allégation, par exemple, si l'on doit obéir aux lois de son pays, même lorsqu'elles sont contraires à la morale; et jamais il ne parvient à s'arrêter sur une seule conclusion. Ces hésitations rappellent à Marie la méfiance de Montaigne pour les opinions trop fortement arrêtées, mais Louis n'a pas la modération du vieux philosophe; il se laisse enthousiasmer un instant par une idée et, l'instant d'après, la fuit comme la peste.

Son proche avenir est la seule chose à laquelle il semble décidé. Aussitôt à terre, il veut prendre son fusil et quitter la ville pour se joindre aux rangs des coureurs de bois dans les grandes forêts sauvages qu'on aperçoit sur la côte à tribord. Il a déjà confié son petit avoir à maître Lamarre, qui le placera dans l'imprimerie. Il saura ainsi où revenir quand, ayant tué suffisamment de bêtes à fourrure, il sera devenu riche en or et en expérience.

Il sera absent, pour commencer, au moins trois ans; ainsi l'avait décidé Gabrielle quand ils vivaient encore à Dieppe. Ne voulant pas s'encombrer de grossesses et de nourrissons avant l'âge de trente ans, elle souhaitait reculer la date de leur mariage le plus longtemps possible. À l'instar de Mlle de Scudéry, Gabrielle pensait en effet que l'amour est avant tout la tendre union des âmes, ce qui était aussi l'avis de Louis. Marie ne peut que hocher la tête. Elle ne sait si c'est vraiment de l'amour qu'elle éprouve pour Louis, mais elle est prête à attendre son retour des bois. Elle ne peut s'imaginer avenir plus heureux que celui d'une vie pleine de livres et d'entretiens sur la tendre union des âmes. Pourtant, le voyant appuyé à la rambarde, le bras passé autour des épaules de Pierre, le jeune valet de M. Sabatier, elle voudrait que ce soit elle qui sente la pression de ce bras sur sa nuque.

Cette sorte de désir corporel n'a sans doute pas plus à voir avec l'amour véritable, que la douce chaleur qui l'emplissait tandis que Corentin Brouster la ramenait dans sa cabine, ou encore lorsque le chariot traversait la forêt de Condé. Peut-être même ces sensations sont-elles les sentiments impurs contre lesquels l'Église met en garde les chrétiens: on ne peut les empêcher d'apparaître, mais il ne faut jamais s'y complaire.

Elle éprouve cependant une irrésistible envie de s'approcher de Louis afin de connaître son odeur. Elle va se placer à sa droite devant le bastingage. Il se retourne vers elle en souriant. Pierre vient en effet de lui dire que son frère est chasseur, et qu'il aidera Louis à se mettre en rapport avec certaines personnes in-fluentes.

Ils sont là, tout près les uns des autres, trois jeunes gens pleins d'espérance au seuil de leur avenir en Nouvelle-France, et bien que ce soit Pierre que Louis embrasse en ce moment, Marie sait avec certitude que son destin, pour toujours, est lié au fiancé de la défunte Gabrielle. C'est l'imprimerie qui les lie: il y reviendra un jour pour succéder à maître Lamarre. Mais seule-ment en titre, car c'est elle qui, connaissant le métier plus à fond, sera l'âme dirigeante de l'atelier et de la boutique.

Père, oh! Père! se dit-elle. Tu aurais dû voir cela, toi qui te désespérais de n'avoir pas de fils pour te succé-der. Demain, c'est moi, Marie, qui serai le premier compagnon imprimeur du Canada!

Par un beau temps d'automne, la frégate s'avance dans le fleuve Saint-Laurent; tous les passagers sont sur le pont à regarder, à tribord, la côte où se révèle de plus en plus clairement l'empreinte du travail des hom-mes. Çà et là, la forêt rouge a fait place à un labour où se dresse une petite maison de bois. Mme Bourdon et les marchands racontent à l'envi qui a défriché l'en-clave et de quelle seigneurie elle dépend. À chaque instant, ils s'émerveillent des embellissements qu'on a faits en leur absence et s'exclament d'enthousiasme chaque fois qu'ils aperçoivent une chaumière neuve au bord de l'eau.

L'estuaire est si large qu'on distingue à peine la cime des collines boisées de la rive opposée, à quatre lieues au sud. Elles aussi sont rouges au soleil du matin, rouges comme la robe pourpre d'un cardinal, rouges comme des groseilles ou des cerises mûres. Ce sont les érables qui leur valent cette vive couleur, explique Mme Bourdon avec ferveur: les merveilleux érables canadiens qui donnent un sirop plus doux que le miel et dont la feuille lobée est le symbole même de la colonie.

Les Filles du Roy passent toute la journée sur le pont à regarder leur nouvelle patrie avec une appréhension respectueuse. Le jeu auquel elles ont joué depuis le jour où elles ont signé leur nom au bas du contrat est sur le point de devenir réalité, et toutes les questions que se posait leur imagination trouvent soudain une réponse effrayante et précise: où les hommes qu'elles sont sur le point d'épouser vont-ils les emmener, dans laquelle de ces petites maisons iront-elles habiter? Elles restent là, près du bastingage, épaule contre épaule et cependant seules avec une angoisse sans fond qu'elles ont trop de pudeur pour oser partager.

Marie ressent leur angoisse, comme elle sentirait le coup de vent produit par la porte d'un tombeau qui aurait failli se refermer sur elle. Si elle ignore aussi où elle sera logée, elle sait du moins avec qui, et de quelles tâches ses jours seront remplis. Même son avenir lointain lui est connu: un jour, Louis reviendra s'établir à l'imprimerie, il le lui a promis en présence de maître Lamarre. Alors, qu'importe s'il préfère aujourd'hui la compagnie de Pierre, elle a le temps en sa faveur.

Elle sent une légère pression sur le bras et reconnaît la main brune de Corentin Brouster sur son châle.

Il est à côté d'elle, solide et large, avec sa barbe grisonnante et ses yeux calmes qui ont le gris-vert de la rivière. Imperceptiblement, elle glisse vers lui jusqu'à ce
qu'ils se retrouvent côte à côte, et elle se laisse envahir
par sa chaleur, c'est presque aussi délicieux que
lorsqu'il la portait dans ses bras pour la ramener à la
cabine. Il est son ami d'élection qui viendra la voir chaque fois qu'il se trouvera à Québec, aussi longtemps
qu'il vivra.

Ils se le sont promis la veille. Il était arrivé sans
qu'elle s'y attendît, alors qu'elle lisait ce qu'écrivait
Montaigne de son amitié avec La Boétie: «Ce que nous
appelons ordinairement amis et amitiés, ce ne sont
qu'accointances et familiarités nouées par quelque
occasion ou commodité, par le moyen de laquelle nos
âmes s'entretiennent. En l'amitié de quoi je parle, elles
se mêlent et se confondent l'une et l'autre, d'un mélange si universel, qu'elles effacent et ne retrouvent
plus la couture qui les a jointes. Si on me presse de dire
pourquoi je l'aimais, je sens que cela ne se peut ex-
primer, qu'en répondant: "parce que c'était lui, parce
que c'était moi".»

Levant les yeux, elle avait ressenti soudain un pince-
ment au cœur: c'était ainsi, exactement ainsi entre elle
et le premier lieutenant. Elle lui avait tendu le livre et
l'avait regardé tandis qu'il lisait le passage. En le par-
courant du regard, il avait hoché la tête en souriant
jusqu'à la dernière ligne, qu'il avait paraphrasée d'une
voix rauque: «Parce que c'était elle; parce que c'était
moi.» Et leurs mains s'étaient rencontrées sur le livre.

Les voici de nouveau côte à côte, pour la dernière
fois à bord de la frégate. Car ils approchent du port, et
la rivière, plus étroite, rend la navigation difficile.
Bientôt, pour pouvoir envoyer les gabiers dans les mâts,
Corentin Brouster va devoir faire redescendre les passagers dans leur cabine. Il pose sa main sur la sienne,

là, sur la rambarde, et la serre fort et longuement. Puis ils s'en vont chacun de son côté.

Dans le quartier des Filles du Roy, la révolte gronde: on vient de leur faire savoir qu'elles devront rester à bord jusqu'au lendemain. Cela leur semble tellement injuste d'avoir à attendre encore une nuit avant de mettre pied à terre dans le Nouveau Monde, qu'elles crient de colère et de rébellion contre Mme Bourdon et toutes les personnes d'autorité qui sont au monde, oubliant leurs promesses d'obéissance. L'ire monte encore lorsqu'on accorde à Marie, et à elle seule, le droit d'aller prendre congé des ursulines.

Quand Marie arrive sur le pont, sœur Isabelle est en train de présenter ses compagnes à une nonne de haute taille qui porte sur son habit noir et blanc la croix de Mère prieure. Voici donc mère Marie de l'Incarnation, se dit Marie avec admiration. Elle a une voix chaude et des yeux vifs qui, sans cesse, se plissent d'un sourire juvénile. Elle prend Catherine par la main pour lui souhaiter la bienvenue dans la congrégation; elle est sur le point de la pousser devant elle vers l'échelle de coupée, lorsque sœur Agnès l'arrête d'une petite toux. Elle vient d'apercevoir Marie qui n'ose s'approcher, mais son respect pour la célèbre ursuline la retient d'élever la voix en sa présence.

Présentée à la Mère prieure, Marie lui fait une révérence aussi profonde que si elle était la Reine en personne. Puis, elle reste là, les yeux baissés, tandis que sœur Isabelle lui conte de quel dévouement infatigable elle a fait preuve pendant l'épidémie.

Mère Marie lui tapote la main en lui disant que ce sont des jeunes femmes de sa trempe dont la Nouvelle-France a grand besoin. Si jamais, plutôt que de se marier, elle désirait consacrer sa vie à soigner les malades, les sœurs des hôpitaux de Québec et de

Montréal l'accueilleraient avec joie. Elle connaît les supérieures de ces deux institutions et serait fort heureuse de leur recommander une postulante aussi estimable que la sœur de Catherine.

Catherine et Marie se retrouvent alors face à face pour dire adieu à leur vie commune. Déjà, Catherine a renoncé au monde auquel Marie reste attachée. Mais, dans le nouveau monde de Marie, le passé n'existe plus; il n'y a plus que l'avenir et l'espoir. Et ce surnom de Chats de Saint-Malo, sous lequel elles ont vécu pendant deux mois, ne sera bientôt plus qu'un souvenir enfantin que personne ne se souciera de conserver en mémoire.

Elles s'embrassent timidement, puis Catherine saisit à terre le petit baluchon, contenant la montre-horloge et les dix livres de marraine Angélique, et se hâte vers l'échelle de coupée à la suite des ursulines. Marie les regarde s'éloigner, mais elle sait fort bien qu'elles ne se retourneront pas pour lui faire un signe de la main.

Dans l'entrepont, les Filles du Roy continuent à se chamailler et à grogner contre le monde entier; Marie voudrait les fuir, mais elle n'a pas non plus le cœur à rester seule sur le pont. Les Lamarre et Louis Clatin sont déjà à terre, où ils se sont logés à l'auberge pour la nuit. Ils vont se retrouver demain, après la réception de bienvenue que doit donner le nouvel intendant, M. Jean Talon. Elle est sûre que le vieux couple, au moins, sera là pour l'emmener à leur logis. Il n'y a pas lieu de s'inquiéter le moindrement de l'avenir. Néanmoins, elle a peur de regarder la rive qui n'est qu'à une ou deux encablures de la frégate. Elle sait que toute sa vie future dans le Nouveau Monde l'attend là, derrière l'une ou l'autre de ces fenêtres à peine éclairées au flanc de la colline obscure qui se nomme Québec, mais elle n'ose pas lever les yeux sur elle. Pas encore, pas ce soir.

C'est demain, lorsqu'il fera jour, et avec les autres, qu'elle veut affronter cet avenir auquel elle s'est liée en écrivant son nom à côté de celui du Roy Louis. Jusqu'au dernier instant, elle souhaite rester Fille du Roy.

Il fait à présent si noir dans ce port dépourvu de phare, qu'elle doit se diriger à tâtons pour retrouver les autres dans l'entrepont, où, maugréant et grommelant, elles se préparent à se coucher.

Il n'y a pas de quai à Québec; les voyageurs doivent se faire porter ou aller eux-mêmes, les pieds dans l'eau, de la chaloupe au rivage. De plus, la rue principale n'est, entre les maisons basses, qu'une piste de terre pleine de creux et de bosses, sans caniveau ni pavés. Il a plu cette nuit, et de petites flaques d'eau sale brillent dans la boue brune du chemin.

Deux par deux, comme à travers les rues de Dieppe, les Filles du Roy gravissent la pente qui mène à la haute ville, en balançant avec fierté l'ourlet mouillé de leur cotte. Ici aussi les gens se sont mis aux fenêtres ou le long de la route pour les voir passer, mais il n'y a plus trace de méfiance ni de mépris dans leurs regards; ils agitent la main en souriant, et certains crient même des paroles de bienvenue aux Filles du Roy avant de se précipiter à leur suite. Jamais Marie n'a entendu pareil bruit de pas derrière elle, ils claquent sur la terre mouillée comme une pluie d'été.

Bientôt, le cortège arrive devant la basilique de Notre-Dame, une grande église de pierre brune dont la coupole et les tours dominent tous les autres édifices alentour. Là, toute la ville est réunie pour recevoir les Filles du Roy avec des bouquets de feuilles rouges et d'asters violets. Sous la lumière pâle du ciel couvert, les couleurs sont si vives qu'elles blessent les yeux, qui soudain se remplissent de larmes.

«Soyez les bienvenues dans la colonie! Soyez les bienvenues en Nouvelle-France!» crient les Québécois en poussant les jeunes filles vers les marches de l'église. Et là se tiennent le représentant du Roy, l'intendant Jean Talon, et un homme de haute taille portant la mitre et la crosse. C'est le candidat du Roy au siège épiscopal, Mgr François de Montmorency-Laval, qui les accueille dans sa magnifique église. Elle est si neuve qu'il y a encore des échafaudages le long des murs où des peintres, les jours ouvrables, s'occupent à dorer le chapiteau des piliers. Les Filles du Roy n'ont jamais vu église aussi belle et claire!

Puis l'évêque célèbre la sainte messe, les voix de l'assistance se mêlant par centaines au cantique d'action de grâces. Agenouillée sur le sol de pierre, Marie est émue de la joie qu'éprouvent les Québécois à voir les passagers arriver si nombreux à bon port; c'est comme si un courant chaud emportait tous les mauvais souvenirs du voyage et des jours qui l'avaient précédé.

Les cloches sonnent à toute volée lorsque les Filles du Roy, à la sortie de la messe, sont conduites à «la plus belle et la plus grande maison qui soit en Canada pour la façon d'y bâtir»; elles comprennent alors qu'elles sont arrivées au couvent des ursulines où elles vont être logées les premiers jours. Dans le hall d'entrée, mère Marie de l'Incarnation leur donne la main à tour de rôle, et, pour chacune d'elles, a un mot aimable et une bénédiction.

Puis les filles sont amenées à un grand dortoir où on les laisse donner libre cours à leur étonnement. Rien, à Québec, ne ressemble à ce qu'elles avaient imaginé, tout y est plus grand et plus beau. Elles ont encore dans les jambes et dans la tête, comme une impression de vertige, le sempiternel mouvement de la frégate, si bien que tout ce qu'il leur arrive leur paraît irréel. Elles se prennent par les mains et lèvent les yeux au ciel en soupirant de soulagement, ou bien se mettent tout à coup à pleurer à chaudes larmes au milieu d'un accès de rire. Car, après tant de dangers et de douleurs vécus ensemble, d'abord à l'hôpital de la Salpêtrière, puis à bord de la frégate, elles ne supportent pas l'idée d'avoir à bientôt se séparer les unes des autres.

Marie qui les regarde sait bien qu'elle n'a jamais totalement fait partie de leur troupe. Si elle parvenait à sortir du dortoir sans être vue, personne ne le remarquerait, personne, même, ne se souviendrait d'elle après son départ. Le moment est venu, se dit-elle. Le moment est venu de leur dire que je ne suis plus Fille du Roy. Mais, juste à cet instant, une sœur converse vient leur enjoindre de revêtir leurs plus beaux atours, car elles vont, dans l'heure, dîner chez l'intendant et rencontrer leurs promis.

Comme un vol de moineaux effarouchés, elles s'agitent çà et là en pépiant, cherchant dans leurs malles ou parmi leurs hardes, puis elles s'aident à s'habiller et à se coiffer; les deux petits miroirs qui passent de main en main leur montrent une image qui les emplit d'aise: l'émoi rend leurs joues roses et leurs yeux brillants, elles n'ont jamais été aussi belles qu'à l'instant de rencontrer l'homme qui sera peut-être leur mari et le père de leurs nombreux enfants.

La fièvre saisit aussi Marie. Bien qu'elle ait déjà choisi un autre chemin, bien qu'elle soit sûrement trop maigre et trop brune pour être déclarée belle, elle veut ce soir être une fille comme les autres et essayer sa fortune au marché du mariage.

Marie Charié pleure sur l'épaule de Mme Bourdon. Le vin de Beaune qu'on leur a servi au dîner lui est monté à la tête; elle n'a, de toute sa vie, jamais rien vu d'aussi magnifique que la table de l'intendant. Même chez le maire de Dieppe, on n'avait pas servi pareil

choix de poissons ou de gibiers rares: saumon et ou-
tarde, truite et poule d'Inde, soupe de queue de bièvre
et rôt de caribou aux airelles rouges, et, pour dessert,
de petits fruits blancs, qu'on appelle «patates» ou
«pommes de terre», qui ont goût de gâteau. De plus,
ces fruits singuliers nageaient dans le sirop d'érable,
qui est encore plus doux et plus goûteux qu'elles ne
l'imaginaient.

Pendant le dîner, les Filles du Roy ont eu la compagnie d'officiers du régiment de Carignan-Salières et
d'une douzaine de seigneurs qui vont bientôt être leurs
maîtres. Présentement, les serviteurs emportent les
tables pour faire place, dans la grand-salle, aux cinquante prétendants. Bientôt, Florimonde Rableau va
voir se réaliser son rêve de choisir entre plusieurs
maris, mais cette perspective emplit Marie Charié de
désespoir, car que va-t-il arriver à sa protégée, la petite
Marie de Beauregard, si elle trouve sur-le-champ chaus-
sure à son pied et se marie avant lundi prochain?

Mme Bourdon la console: c'est mère Marie de
l'Incarnation en personne qui s'occupera de la petite
Marie. La plus jeune des Filles du Roy est, en fait,
demoiselle et dotée de deux cents livres. Cette fortune,
trop petite pour lui assurer un bon mariage en France,
va lui donner ici préséance sur bien des filles plus belles, plus sensées et plus mûres.

À l'instant où Marie Charié baise les mains de la
Bonne Bergère, les portes s'ouvrent et les hommes se
précipitent dans la salle. Eux aussi sont vêtus de leurs
plus beaux atours, mais il manque à ces hommes l'aide
d'une femme, cela crève les yeux: les chemises lavées
de frais ont le col froissé, le fond de leur culotte est
troué, et il manque des boutons à leur pourpoint. Les
Filles du Roy se regardent en coulisse en réprimant
leur rire, et, soudain, leur désir de jouer à la souveraine
les abandonne, elles sont prises d'une telle pitié pour

les prétendants qu'elles ont envie de se jeter dans les bras du premier venu et de lui dire: «Me voici!»

Mais leur désarroi est de courte durée, car elles ont retenu les conseils de Mme Bourdon et savent ce dont elles doivent s'enquérir: a-t-il construit une maison, est-il faible du dos ou souffre-t-il de hernie, quelle part de sa terre est vraiment à lui? Ils se rencontrent deux par deux, au milieu de la salle ou dans les coins, les hommes dévisagent les filles du même regard avide, qu'elles soient blondes et belles ou brunes et laides, et les filles vont d'un homme à l'autre comme des abeilles-reines, avec des yeux impérieux et des joues enflammées d'impatience voluptueuse.

Marie joue, elle aussi, à l'abeille-reine. Elle laisse un homme après l'autre se présenter avec un sourire flatteur, comme si elle était une belle aux cheveux d'or, elle leur demande si leur ferme se trouve à Montréal, à Trois-Rivières ou à Québec, puis elle leur confie qu'elle possède en plus de sa dot de Fille du Roy, un petit bien de dix livres, deux courtepointes en peau de mouton et une horloge neuve de la meilleure facture. Elle voit le désir s'éveiller dans le regard de l'homme, puis elle lui déclare ses regrets, le salue et s'en va vers une nouvelle victime. Un sentiment de victoire, fort et doux comme du rhum, l'emplit d'un bien-être païen.

Lorsque les Filles du Roy retournent au couvent, le soir, toutes consignes d'humilité et d'obéissance oubliées, elles se félicitent l'une l'autre à grands cris. Car Françoise Desjardins, Catherine Durand, Jacqueline Héron, Anne Magnan, Florimonde Rableau, Anne Blain, Perrette Vellay et Marie Charié se sont déjà mises d'accord avec leur promis pour signer le contrat de mariage et faire bénir leur union dès la semaine prochaine.

À la porte du couvent, Louis Clatin attend Marie. Il a sur la tête un grand chapeau de feutre qui le fait paraître plus âgé qu'il ne l'est. Elle le regarde dans la pénombre du soir et comprend qu'il vient prendre congé d'elle. Pour la première fois, il l'attire contre lui, si bien qu'elle sent la forme et l'odeur de son corps. Soudain, ses lèvres effleurent les siennes, mais la joie enivrante de la victoire qu'elle a encore à la bouche affadit ce nouveau goût qui est le sien, et dont elle aurait voulu se rappeler, pour pouvoir le regretter tout le temps de son absence.

L'étrange froideur qui l'emplit en l'entendant dire: «Attendez-moi, dans trois ans, je serai de retour» ne la quitte que lorsqu'il se retourne pour lui faire un signe de la main au sommet de la côte. Il semble si petit et si faible, en silhouette sur le ciel rouge du nord-ouest, que les larmes lui viennent aux yeux et se mettent à couler le long de ses joues, au point qu'elle doit détourner le visage en passant devant la sœur converse à la porte du couvent.

Il fait si chaud dans la journée que Mme Lamarre préfère se promener dans les rues pentues plutôt que de rester dans sa petite chambre à l'auberge. Marie l'emmène en visite chez les autres Filles du Roy qui, n'étant pas encore mariées, habitent chez diverses familles de Québec.

Au Canada, on n'est pas aussi pointilleux qu'en France sur les règles de la politesse; non seulement est-il permis de sonner à l'improviste à une porte québécoise, mais encore on vous en remercie avec effusion. Aussitôt, la maîtresse de maison fait mettre sur la table pain, fromages et charcuteries, verser une boisson chaude dans les tasses, et malheur à l'invité qui ne se sert pas largement et longtemps de tout ce qu'on a posé devant lui! Car l'hôtesse aura vite fait de croire que le nouvel arrivé n'éprouve que mépris pour les choses et les gens du Nouveau Monde.

Les dames de Québec se délectent à entendre parler de la France; dès qu'on leur a dit de quelle province ou de quelle ville on vient, elles veulent savoir si l'on y connaissait telle ou telle personne jadis rencontrée, ou avec laquelle elles ont des liens de famille. Mais à n'en pas douter, leur nouveau pays est leur sujet de prédilection.

C'est du temps et des saisons qu'il est le plus souvent question: le splendide automne aux nuits fraîches et aux journées ensoleillées: «l'été indien», va bientôt céder la place à l'automne court et pluvieux que tourmente un aigre vent du sud-est. Puis vient l'hiver, d'ordinaire longtemps avant Noël; la neige tombe en force, et le fleuve Saint-Laurent se couvre de plaques de glace qui empêchent les navires d'atteindre le port. Bien que vivant au bord de l'eau, les Québécois n'ont pour tout poisson de carême que celui que les Indiens parviennent à prendre sous la glace. Malgré tout, la vie ici est plaisante, et l'hiver point trop dur à vivre pourvu qu'on ait des vêtements chauds et une maison solide où s'abriter.

Entre ces visites, Marie et Mme Lamarre se promènent bras dessus, bras dessous dans les rues ou le long du port sans quai où le soleil fait scintiller le bord de l'eau. Elles regardent les longues barques des passeurs traverser le fleuve pour rejoindre Lévis, sur l'autre rive, ou l'île d'Orléans un peu en aval. C'est là que Jacqueline Héron, Perrette Vellay et Anne Magnan se sont établies auprès de leurs époux, et Marie se demande quand elle les reverra.

Pour finir, elles retournent à la haute ville où maître Lamarre est en train d'installer la presse et le marbre dans son nouvel atelier. La maison que le vieux couple vient d'acheter n'est pas grande, mais elle se trouve au cœur de la rue la plus animée, juste derrière la basilique de Notre-Dame; ainsi, les gens qui vont à la grand-place, ou en reviennent, ne pourront pas manquer de voir l'enseigne, et seront peut-être tentés d'entrer dans la boutique. On dit que les Québécois aiment lire, mais qu'ils ont été jusqu'à présent privés de livres, qu'il fallait faire venir d'Europe, comme tout ce qui sort d'une presse. Aussi maître Lamarre a-t-il hâte de se mettre à l'œuvre pour proposer à sa pratique un livre de prières et un almanach pour la nouvelle année. Avant de rentrer à l'auberge, elles s'arrêtent au couvent pour voir Catherine et embrasser la petite Marie de Beauregard, qui est élève à l'école des ursulines, tandis que son fiancé, Sébastien l'Angelier, couvre le toit de leur maison. Sa manière de parler, tantôt comme une femme adulte, tantôt comme un enfant pleurard, sème le trouble et la honte chez celles qui l'ont prise en charge. Chaque jour, elle se jette dans les bras de Marie, cherchant comme un petit chien à se faire caresser; mais, à peine assise sur ses genoux, il arrive qu'elle lui murmure à l'oreille combien elle se réjouit de pouvoir bientôt jouer avec le guilleri de son mari et qu'il en fasse de même avec son petit chat pour avoir des frissons délicieux par tout le corps, car c'est ainsi que font les gens mariés. Entendre le nom grossier des parties secrètes du corps dans la bouche de cette fillette bouleverse tant Marie qu'elle doit se précipiter à la chapelle pour prier Dieu de lui pardonner son péché, et lui demander du même souffle de punir ceux qui l'ont pervertie des pires tourments de Son purgatoire.

À Catherine, elle ne peut en dire mot. Depuis que sa sœur a été acceptée comme novice dans la congrégation, Marie ressent devant elle un étrange embarras. La guimpe blanche qui enserre son beau visage lui donne un air sévère et lointain qui effraie Marie. À présent, elle trouve plus facile de s'entretenir avec la majestueuse Mère prieure qu'avec sa propre sœur.

Sans doute Catherine redeviendra-t-elle simple et gaie comme avant, quand elle aura prononcé ses vœux et commencé à enseigner à lire aux petites filles de l'école. C'est ce que Mme Lamarre assure à Marie sur le chemin du retour: les jeunes nonnes sont toutes enclines à croire que le Bon Dieu déteste les visages souriants. Avec le temps, elles apprennent heureusement la maxime du bienheureux François de Sales: «Un saint triste est un triste saint.»

Ils sont enfin installés dans la maison derrière la basilique. En bas, dans l'atelier, deux châssis de métal neuf attendent sur le marbre, et la grande presse qui trône au milieu du plancher semble supplier qu'on la salisse d'encre.

Marie a l'impression à chaque pas de se retrouver dans l'imprimerie de Saint-Malo, comme si les deux dernières années s'étaient effacées de sa vie. Elle aurait bien voulu aider le maître à ranger les caractères d'imprimerie dans les casses, mais elle doit d'abord aider la maîtresse de maison à déballer ses malles; elle se hâte au premier étage.

Ici aussi l'escalier conduit droit à la cuisine, une grande pièce rectangulaire dont les fenêtres donnent sur la rue. La cheminée est assez grande pour qu'on y puisse faire rôtir un cochon entier; de hautes piles de bûches l'encadrent de chaque côté. C'est un endroit où il fera bon se retrouver lorsque l'hiver canadien mettra des fleurs de givre aux carreaux des fenêtres.

De la cuisine, on passe au salon, où le lit des Lamarre se dresse dans un angle. Les fenêtres de la grande chambre sont tournées vers la frondaison rouge d'un érable dans la cour. Dans les deux pièces se dressent de gros meubles qui emplissent l'air d'une odeur campagnarde de résine et de bois qu'on vient de scier.

Mme Lamarre s'affaire à vider ses malles du linge et des ustensiles qu'elles contiennent. Debout près d'elle, Marthe, la jeune Algonquine qu'on vient d'engager comme servante, répète lentement le nom de chaque objet. Elle ne connaît que très peu le français, hormis ce qu'on lit dans le catéchisme, et s'étonne autant de la forme et de l'usage du tournebroche et de la lèche-frite que du nom qu'ils portent dans la langue de sa maîtresse.

On dit que ces Algonquines sont serviables et apprennent vite, mais qu'elles ont une santé fragile. Souvent, elles s'étiolent et meurent au bout d'à peine un an de service, ce qui irrite leurs maîtres et provoque l'ire des jésuites qui les ont amenées à la sainte Église. Les missionnaires prétendent que c'est le regret de la vie sauvage qui les conduit à la maladie, et que le meilleur remède serait de leur rendre leur liberté, mais les dames de Québec ne peuvent ajouter foi à une explication aussi insensée.

Les trois femmes travaillent ensemble vite et bien. Au bout de deux heures, tous les pots, chaudrons, poê-les, cruches et couverts ont trouvé leur place sur les éta-gères et dans les armoires, les rideaux sont suspendus devant les fenêtres et autour du lit, et un épais tapis de Hollande en laine rouge recouvre la table du salon. Maintenant, Marie peut monter dans sa chambre sous les combles.

C'est une petite pièce mansardée qui donne sur la rue et le couchant. Il n'y a là place que pour peu de meubles, mais bien assez pour les besoins de Marie: un lit garni d'une simple courtine bleue, une table et sa chaise devant la fenêtre, et une commode si neuve qu'elle sent encore la colle.

Le coffre de voyage qui les a suivies jusqu'ici, elle et Catherine, et qu'on a laissé au milieu de la chambre, lui rappelle soudain une vie dont elle se croyait détachée. Pourtant, elle ne supporte pas l'idée d'en faire du bois pour l'âtre, elle le pousse jusqu'au lit où il pourra servir de marchepied jusqu'à ce qu'il tombe en morceaux.

Tandis qu'elle en retire ses affaires, une par une, c'est comme si les deux années qu'elle avait décidé d'effacer de son esprit lui revenaient soudain en mémoire avec tout leur poids de couleurs, d'odeurs et de souffrances, comme si elle en revivait tour à tour chaque instant.

Voici le cahier qu'elle avait fait elle-même à l'aide d'une feuille de papier pliée. Sur la première page, elle a commencé d'écrire son journal, la petite Marie de Beauregard a griffonné ses lettres bancales sur les suivantes, si bien qu'il n'est plus bon à rien d'autre qu'à allumer le feu. Dans la poche de sa cape noire, se trouve le morceau de plomb fondu qu'elle ramassa dans les ruines de l'imprimerie. Voici la vieille robe de velours de marraine Angélique, qu'elle portait pour le jour des Rois. Cette vilaine tache verte sur son chapeau de soie blanche est l'adieu d'une mouette qui avait chié sur elle tandis qu'elle attendait le chariot à la porte de l'hôtel Pontorson. Ce mouchoir est un cadeau de Corentin Brouster, il y a enveloppé une poignée de millefeuille dont elle pourra faire des tisanes contre les douleurs de la menstruation, car tel est le nom qu'il donne au saignement mensuel des femmes. Voici des bottes et des souliers faits par un cordonnier de Saint-Malo, et voici la robe de satin broché qu'elle portait chez le maire de Dieppe et ici, à Québec, le soir où elle s'est amusée à être abeille-reine.

Tout au fond se trouvent les objets lourds, deux bouilloires de cuivre et deux chaudrons de fer, les unes rutilantes et les autres noirs comme suie, mais tout aussi neufs. Et deux courtepointes en peau de mouton doublées de lin à double trame que leur avait offertes une fort repentante Mme Pontorson. Et enfin, là, tout au fond et emmaillotée de draps et de torchons, l'horloge de bronze et de noyer, cadeau des confréries de Saint-Malo.

Elle introduit la petite clef de bronze dans la serrure et remonte le ressort, puis reste un moment immobile, le cœur fragile de l'horloge contre son oreille. Il dit «Qué-bec Qué-bec» comme s'il n'avait jamais connu d'autre patrie que le Nouveau Monde. Elle met l'horloge sur la commode et sourit: le cadran blanc ressemble à un œil; dorénavant, il va poser sur elle son regard protecteur tandis qu'elle dort ou lit dans sa nouvelle chambre.

Mais elle n'a pas encore trouvé de place où ranger ce qu'elle a de plus précieux, *Le Roman comique* de Scarron, qui donna aux Filles du Roy de si bons moments de gaieté, et le livre qu'en son for intérieur elle appelle son bréviaire, les *Essais* de Michel Eyquem de Montaigne, de l'imprimerie de maître Pierre-Étienne Carduner à Saint-Malo. La double bénédiction de son père et du père Saint-Efflam qui l'a suivie jusqu'en Nouvelle-France.

Elle pose les deux livres sur la commode à côté de l'horloge et descend à l'atelier.

Le maître attend son ouvrière pour composer l'almanach.

Table

CHOIX DE TITRES PARUS
DANS LA COLLECTION FICTIONS

Cet ouvrage composé en New Baskerville corps 12
a été achevé d'imprimer
le seize octobre mil neuf cent quatre-vingt-dix-sept
sur les presses de l'Imprimerie Gagné
à Louiseville
pour le compte des
Éditions de l'Hexagone.